MIREILLE GEU

De ogen van Sitting Bull

Lemniscaat ∞ Rotterdam

Van Mireille Geus verschenen bij Lemniscaat

Virenzo en ik
Big
Naar Wolf

De auteur ontving voor het schrijven van dit boek
een werkbeurs van het Nederlands Letterenfonds.

© 2011 Mireille Geus
Omslagillustratie: Philip Hopman
Nederlandse rechten Lemniscaat b.v.
Vijverlaan 48, 3062 HL Rotterdam, 2011
ISBN 978 90 477 0388 4

Druk en bindwerk: Wilco, Amersfoort

*Dit boek is gedrukt op milieuvriendelijk, chloorvrij gebleekt
en verouderingsbestendig papier en geproduceerd in de
Benelux waardoor onnodig en milieuverontreinigend
transport is vermeden.*

De ogen van Sitting Bull

Zondag

1

Mijn oma kwam bij ons wonen, en wel nu meteen. Mijn vader had dat besloten. Nou ja, besloten... Hij was een paar weken eerder bij zijn moeder op bezoek geweest en had toen zomaar tegen haar gezegd: 'Je komt bij ons wonen.'

Nu was het zover. Mijn oma kon ieder moment binnenkomen en dan moest ze in mijn kamer kunnen, in mijn bed.

Normale ouders hadden nog wel ergens een kamer over in huis, waar een oma kon logeren als dat echt moest. Maar dat hadden wij niet.

Ik had afgeluisterd dat mijn moeder tegen mijn vader zei: 'Schat, het kan niet. We hebben geen plek voor je moeder. Ze kan moeilijk in de woonkamer slapen. We hebben geen idee wanneer dat tehuis plaats voor haar heeft. Dat kan maanden gaan duren.'

En mijn vader zei: 'Ze heeft mij mijn hele leven verzorgd en daardoor ben ik de man geworden die ik nu ben, de man van wie jij houdt, en nu moet ik haar verzorgen, voor even, totdat Huize 't Hooge Veld een plekje voor haar heeft. Dat is toch niet te veel gevraagd?'

Toen zei mama niks meer.

Dus stond ik nu mijn kamer leeg te ruimen. Mijn hoofd bonkte en klopte, er kon geen gedachte meer bij.

Mijn moeder keek naar buiten en daarna op haar horloge. 'Opschieten, Valentijn,' zei ze, 'gooi die stapel boeken in die doos.' Ze hield een vuilniszak omhoog. 'Dan prop ik al je kleren en die troep hierin.' Ze wees op mijn opstelling van indianenpoppetjes, de stam waar ik elke week uren mee speelde.

'Nee, die niet!' zei ik. 'Die moeten naar jullie slaapkamer.'

'Daar zijn je plankjes alle drie al vol.'

Ik sloeg mijn armen over elkaar en ging wijdbeens staan. 'Het moet.'

Mijn moeder keek naar me, sloeg ook haar armen over elkaar en ging ook wijdbeens staan. 'Het kan niet.'

'Alleen deze dan?' Ik hield vier indianenpoppetjes, mijn mooiste, in mijn hand. Ze knikte.

Meteen propte ik ze in mijn broekzak.

Ik keek mijn kamer rond. Mijn bed kon blijven staan, want in de kamer van papa en mama zou ik op een matras op de grond slapen. Ook mijn bureau en stoel moesten blijven staan. In het bureau zaten twee diepe laden. In de bovenste la lagen papier, foto's, een lijmstift, een schaar, stiften en potloden. Maar de onderste la was leeg, volgens mij.

Ik trok 'm open. Leeg. Mijn moeder keek mee.

Samen legden we de rest van mijn stam in de la.

'Hun eigen reservaat,' zei mama. Ik wist dat ze het lief bedoelde.

Ze zette het bovenraam open en de deur naar het balkon. 'Anders ruikt het te veel naar jou.'

Wat daar niet goed aan was, begreep ik niet. Soms rook

ik aan mijn kleren voor ik ze in de was deed en ik vond ze meestal niet vies ruiken. Van mama moesten ze na een dag al in de was, omdat ze dan tegen anderen kon zeggen dat ze elke dag moest wassen. En daarna mocht ze diep zuchten. Misschien kon ik mijn kleren nu langer aanhouden, nu oma hier kwam wonen: haar kleren moesten vast ook elke dag in de wasmand.

Mijn moeder keek of ze de auto van papa al zag. Ze snufte een beetje en zei: 'Straks ruikt het hier naar oude huid en poeder.'

Ik ging op mijn bed zitten en keek naar de afbeelding op de muur. Naar de veren op zijn hoofd, de rimpel tussen zijn ogen, zijn stevige kaaklijn.

Ik wilde niet naar zijn ogen kijken. Dat zou te veel zijn.

'Ze heeft hem mooi geschilderd, hè?'

Ik knikte. Sitting Bull zag er op mijn muur nog beter uit dan op foto's.

'Van welke stam was hij ook weer?'

'Leider van de Lakota Sioux.'

Toen ik tien werd, drie maanden geleden, was het een gewone schooldag. Mijn moeder was nerveus, ik wist niet waarom. Maar ze vergat mijn traktatie, een vredespijp waarvan de kop vol met lekkers zat, en we moesten terug naar huis om 'm op te halen. Daar deed ze heel raar. Ik mocht absoluut niet mee naar binnen en ik mocht zelfs niet naar boven kijken, naar ons appartement op twee hoog. Natuurlijk gluurde ik toch, maar ik zag niks bijzonders. Dat kwam pas toen ik weer thuiskwam: ik deed de deur van mijn kamer open en mijn mond viel open. Vooral toen ik in zijn wijze ogen keek.

En ik was er elke dag blij mee geweest. Tot vandaag.

'Als we die kast leeg hebben, zijn we bijna klaar,' zei mijn moeder. Ze trok de deur open en zuchtte.

Ik ging naast haar staan. 'Dat zijn kleren die ik nooit aandoe.'

'Naar de kringloop?' Ze keek weer naar buiten.

'Zijn ze er al?'

Ze schudde haar hoofd en hield de vuilniszak open. Snel rende ik naar de slaapkamer van mijn ouders en gooide de vier indianenpoppetjes op het bed. Terug in mijn kamer duwde ik vlot alle oude kleren in de zak. Twee zakken vulden we. Mijn moeder zette net de laatste op het balkon toen er buiten getoeterd werd. Ze zwaaide.

Papa, met oma.

Mama streek haar kleren en haar kapsel glad. Ze keek mij aan. Haar ogen waren vochtig – misschien werd ze verkouden, ze liep net ook al te snuffen. 'Lach, doe beleefd.'

'Jij ook,' zei ik, 'maar als we dat vergeten, dan weet ze het toch al snel niet meer.'

We glimlachten alle twee voorzichtig.

Heel even keek ik naar de muur, naar zijn ogen, en ik slikte.

2

'Hier zijn we!' riep papa halverwege de trap. Mijn moeder en ik zagen nog niemand.

Ik sprong van mijn ene been op het andere.

'Ophouden,' zei mama.

We zagen als eerste het hoofd van papa, zijn keurig geknipte zwarte haar, zijn kale plek. Bij elke tree trok hij heel hard aan een oude koffer en boog tegelijk zijn lijf helemaal naar links.

Dan plofte de koffer op de volgende tree. Hij pufte erbij. Heel langzaam kwam hij naar ons toe.

'Waar is je moeder?' vroeg mijn moeder.

Hij zei niks, maar bewoog zijn hoofd naar achteren, naar de diepte van het trapgat.

Hoe zou oma eruitzien? Had ze wilde haren, zaten haar tanden scheef, kwijlde ze? Ik had haar al een tijdje niet gezien. Mijn vader en moeder vonden dat het niet goed met haar ging en daarom moest ik thuisblijven als ze erheen gingen. 'Dat is niks voor jou,' zei mijn moeder dan. Na elke visite schudden ze nog heel lang hun hoofd als ze aan haar dachten. En ze zeiden dingen als 'Het is toch wat,' of 'Schat, als het mij gebeurt, nou dan...'

Nu het nog slechter met haar ging, moest ik haar juist wél elke dag zien en mijn kamer aan haar afstaan. Misschien was ze wel gevaarlijk.

Ze had een grijze jurk aan met een grijze maillot eronder en lage schoenen. Haar grijze haar zat in een knot op haar hoofd. Ze kwijlde niet, ze hijgde wel.

'Dag moeder,' zei mijn moeder veel te hard, 'kom verder.'

'Dag oma,' mompelde ik.

We liepen de gang in. Papa had de koffer al in mijn kamer gezet.

'Nou,' zei hij, 'daar zijn we dan.'

En dat was zo.

'Thee?' vroeg mijn moeder.

Niemand gaf antwoord, dus liep ze naar de keuken.

Mijn moeder had alles op een blad gezet: de mooie witte theekopjes met schoteltjes die we nooit gebruikten, de witte suikerpot met de lange lepel en een wit schaaltje met vier bruine koeken erop.

Ze liep als eerste naar oma, die lang naar de verschillende kopjes keek en toen het volste koos. Mijn moeder wilde doorlopen, maar voor het eerst maakte oma geluid sinds ze binnen was. Het was een hard en duidelijk 'nee'. Mijn moeder bevroor en oma pakte drie klontjes suiker en liet ze in de thee vallen. Daarna pakte ze twee koeken.

De blik van mijn moeder ging naar mijn vader. Hij keek even terug en haalde bijna onzichtbaar zijn schouders op.

Oma blies hard in haar thee. Hij gutste bijna over de rand. Ze doopte een koek in haar thee, te lang: toen haar hand weer omhoog kwam was het onderste stuk van de koek verdwenen. Opgelost in de thee. Oma keek verbaasd naar het verdwenen stuk, maar doopte meteen een nieuw stuk in de thee. Weer te lang.

Ik lachte. Mijn moeder keek me waarschuwend aan. Voorzichtig tilde ik mijn kop en schotel van het blad. En stak mijn hand uit naar de koeken.

'Eén,' siste mijn moeder.

'Gezellig,' zei mijn vader en nam een flinke slok. Ik keek naar de thee in mijn kopje alsof er niets anders bestond op de wereld dan dat. Dat moest ik wel doen, want als ik opkeek zag ik oma en als ik oma zag, dan zag ik de tweede koek in sneltreinvaart in haar thee verdwijnen, terwijl oma zich na elke verdwijning afvroeg waar haar koek was gebleven. Ik probeerde strak naar beneden te blijven kijken. Soms keek ik wel eens lachfilms, maar dit was beter: dit was om te stikken, dit was...

'Valentijn!' zei mijn vader.

Ik stond op, zette mijn kopje neer en vloog de kamer uit, op weg naar mijn eigen kamer, maar halverwege bedacht ik dat ik daar niet heen kon. Ik schoot de wc in, trok de deur achter me dicht, sloeg mijn hand voor mijn mond en schudde van het lachen.

Eventjes maar. Korter dan ik had verwacht.

Voor de zekerheid dronk ik een slokje water in de keuken. Mijn moeder stond daar: ze zette net de waterkoker weer aan. Ze was niet kwaad, maar haalde snel haar hand door mijn haar. 'Da's de spanning, lieverd,' zei ze.

Ik snapte niet wat ze bedoelde. Wat oma met die koek deed was niet spannend, maar grappig.

Mijn thee was afgekoeld en ik nam een grote slok.

'Zal ik je je kamer even laten zien, moeder?' vroeg mijn vader. 'Dan kan je wat rusten. Het was een enerverende dag voor je.'

Mijn oma staarde wat voor zich uit. Mijn vader stond op en tikte oma op haar handen.

'Wat?' zei oma.

'Kom,' zei mijn vader, 'opstaan.'

Ze stond meteen op en viel bijna om.

'Geef me maar een arm,' zei mijn vader. 'Van zitten naar staan, dat gaat moeilijk hè?'

Voetje voor voetje schuifelden ze naar mijn kamer.

Ik hoorde mijn vaders lage stem. Oma zei niet veel terug.

Na een tijdje kwam mijn vader mijn kamer – oma's kamer nu – uit en liep naar de keuken, naar mijn moeder, die bezig was met het avondeten. Hij deed de keukendeur dicht: ze wilden samen dingen bespreken. Voor mij was dit het teken dat ik achter de deur moest zien te komen. Meestal waren ze zo diep in gesprek dat ze me niet betrapten op afluisteren. Ook niet die keer toen mijn vader heel duidelijk zei dat oma hier kwam wonen.

'Ik kan nu niet meer terug,' zei hij.

'Je hebt niet eens met mij overlegd! Ongelofelijk! Soms vraag ik me wel eens af waar je hersens zitten. Je kan niet alleen je gevoel volgen, je moet je hersens gebruiken, daar zijn ze voor!'

'Ik kon niet anders, schat,' zei mijn vader. 'Ze zat daar zo... Ik moest iets doen. En ik weet ook niet of ik dat tehuis, dat Huize 't Hooge Veld, wel zo...'

Meer hoorde ik niet, die keer. De deurklink ging al naar beneden terwijl mijn vader nog iets tegen mijn moeder zei. Ik moest rennen.

Nu drukte ik mijn oor tegen de deur. Het zou vast weer over oma gaan.

'Het is maar voor even,' hoorde ik papa zeggen. 'Ik ga morgen meteen achter haar plaatsing aan. Ze komt nu vast hoger op de wachtlijst, want we hebben hier in huis eigenlijk geen plek voor haar.'

'Voor Valentijn is het ook niet goed,' zei mama, 'die heeft zijn handen al vol aan zichzelf.'

Ik keek naar mijn handen – ze waren gewoon leeg.

De deur van oma's kamer, mijn oude kamer, stond op een kier. Er kwam geen enkel geluid uit. Ik sloop de gang door en gluurde door de kier. Oma zat op mijn bureaustoel. Ze staarde naar buiten.

Ik begon te tellen hoe lang ze zich helemaal niet bewoog. Bijna was ik bij tweehonderdvijftig toen ze haar hand optilde en de bovenste la van het bureau opentrok. Ze keek er even in, deed 'm weer dicht en trok de onderste la open. Daar pakte ze meteen twee indianenpoppetjes uit. Ze zette ze voor zich op het bureau. Ze draaide zich om naar de muur, keek naar Sitting Bull, toen naar de indianenpoppetjes en zei heel hard: 'Ugh!'

3

Na het eten en de afwas gingen papa en mama weer in de keuken staan met de deur dicht. Dat deden ze anders niet zo vaak op een dag.

'We moeten het afzeggen,' hoorde ik mijn moeder zeggen.

'Welnee, we moeten gewoon doorgaan met ons leven, net als anders.'

'Het is niet net als anders.'

Oma had tijdens het avondeten haar groenten van de ene kant van het bord naar de andere kant zitten schuiven. Ze had meteen al haar vlees opgegeten en daarbij gesmakt. Mijn vader zei: 'Mam, je smakt.' Eerst keek ze niet op, alsof ze niet wist dat zij iemands mam was. Pas toen mijn vader het harder zei en zijn hand op die van haar legde, keek ze op en haalde meteen haar tanden uit haar mond. 'Hier komt het door,' zei ze en ze hield haar gebit omhoog, 'het past niet. Allang niet meer. Maar niemand let erop. Niemand let op mij.'

Daarna had ze het teruggedaan in haar mond. Het

maakte een knarsend geluid, alsof je met een fiets over een grindpad reed. Niemand zei meer iets.

Nu twijfelden mijn vader en moeder of ze wel moesten gaan dansen. Dat deden ze elke zondagavond. Ze konden heel goed de chachacha en de rumba. Vooral mijn moeder. Heel soms deden ze zelfs mee aan wedstrijden. Ik wilde de keukendeur opentrekken en zeggen dat ze thuis moesten blijven, dat ze mij niet alleen konden laten met oma.

'Jij doet Valentijn?' vroeg mijn vader.

De klink van de keukendeur bewoog naar beneden. Ik stapte snel achteruit, de woonkamer in, ging op de bank zitten en knipte de tv aan.

'Ja, en jij je moeder,' hoorde ik mijn moeder zeggen terwijl de deur openging.

Mijn moeder stak haar hoofd de kamer in en wenkte me. 'We gaan douchen.' Dat betekende dat ik ging douchen en zij ging toekijken hoe ik douchte.

'Het is nog vroeg,' zei ik en wees op de klok.

'Jij gaat eerst douchen. Daarna moet oma nog, en dat allemaal voor halfacht, want dan gaan we weg.'

Ik maakte mijn ogen groot. 'Weg?'

'Dansen hè?' Mijn moeder liep voor me uit naar de badkamer. 'Net als anders.' Haar stem klonk hoger dan normaal.

'Maar...' zei ik, terwijl ik me afvroeg wat ik nu het beste kon zeggen, 'jullie laten me toch niet alleen met... met haar? Ze is gek.'

'Ssst,' zei mijn moeder. 'Je weet: ze is niet gek, ze is gewoon vergeetachtig, erg vergeetachtig.'

'Ze speelt met mijn indianenpoppetjes!'

Mijn moeder deed het badkamerlicht aan en haalde de deksel van de wasmand. Als vanzelf trok ik mijn broek en mijn trui uit en propte ze erin.

'Oma is kinds geworden, dus dan klopt dat wel.'

Voor mij klopte het helemaal niet. Hoe kon je nou als je volwassen was weer kind worden? Dat vroeg ik mijn moeder.

'Ze is geen kind, ze is kinds, ze doet als een kind.'

'Alsof?'

'Nee,' zei mijn moeder. 'Alle dingen van nu vergeet ze heel snel, maar alle dingen van vroeger weet ze steeds beter. De tijd toen ze zelf een kind was, herinnert ze zich nog heel goed. Ze voelt zich alsof ze weer kind is, omdat ze wat ze als volwassene meemaakt niet kan onthouden.'

Ze zette de douche aan, controleerde hoe warm het water was. 'Kom op,' zei ze, 'doe je onderbroek eens uit en stap eronder.'

Ik wilde zeggen dat ik me juist een volwassene voelde en dat ik alles van nu heel goed kon onthouden. Het enige wat ik deed was haar aankijken en vragen: 'Kun je nu weggaan?'

Tot mijn verbazing ging ze meteen, alsof ze had gewacht op deze dag, op dit moment dat ik niet meer wilde dat ze naast me stond te wachten wanneer ik onder de douche stond.

Na mij moest oma douchen, met mijn vader. Ook hij wachtte een tijdje in de gang, voor de deur. Intussen stopte mijn moeder me in, op de matras in hun slaapkamer. Ze deed het haastig: ze had haar danskleding uitgezocht, haar kast stond nog open en ze was begonnen met omkleden.

'Het is nog helemaal geen tijd om in bed te liggen,' mopperde ik. 'Ik hoef anders nooit zo vroeg.'

Ik keek naar de drie plankjes boven mijn bed. Onder het bed van mijn ouders lag een stoffige sok..

Mijn moeder hurkte in haar onderrok, ze pakte mijn kin en keek in mijn ogen. 'Liefje,' zei ze zacht, 'het zou helpen als je meewerkt.'

'Het zou ook helpen als jij meewerkt,' zei ik meteen.

Ze liet zich op mijn matras zakken en aaide over mijn haar. Met mijn hoofd schudde ik zo wild ik kon.

'We hebben hier allemaal niet om gevraagd,' zei ze, 'maar soms moet je gewoon doen wat nodig is. Je zal hier vast lekker slapen.' Ze stond op, trok haar danskleding aan en streek de rok glad.

Op de gang hoorden we oma kabaal maken. 'Mam, niet doen,' zei mijn vader, 'straks glij je uit.'

'Ik ga niet naar bed,' zei oma hard, 'ik ben helemaal niet moe.'

'Je zal zien...' begon mijn vader.

'Ik zal niks zien, want ik ga niet!'

'Mam, je bent onredelijk. Kom eens hier, dan breng ik je naar je kamer. Straks val je...'

'Dat is mijn kamer niet! Ik weet heus wel dat dit mijn kamer niet is!'

'Voor oma is het ook wennen,' zei mama.

'Kan zij niet hier slapen en ik in mijn eigen kamer?'

Mama schudde beslist haar hoofd.

'Het komt allemaal goed,' zei ze, maar ik hoorde aan

haar stem dat ze het zelf ook niet helemaal geloofde. 'We gaan zo weg, en dan lig jij in bed en zij ook.'

Op de gang schreeuwde oma dat ze echt niet ging slapen.

'Ik tel tot drie,' hoorde ik mijn vader zeggen.

Mama kuchte. 'Je mag best nog even wakker blijven, wat lezen of spelen met je indianen. Tot negen uur uiterlijk.' Dat was een halfuur later dan gewoonlijk. 'Maar dan moet je het licht uitdoen en gaan slapen.' Ze deed de deur bijna dicht. 'Valentijn... je weet: je kan ons altijd bellen.'

'Wat moet ik doen als ze uit bed komt?'

'Ga dan maar gewoon naar haar toe. Maar blijf niet wakker om haar. Dat is echt niet nodig.'

'Wat moet ik doen als ze rare dingen zegt?'

'Praat maar een beetje met haar mee. Maak haar niet extra in de war.'

'Wat moet ik doen...'

'Liefje,' zei mama, 'maak je geen zorgen, er gebeurt echt niks bijzonders, dat zul je zien. Jij gaat slapen, zij gaat slapen. We zien elkaar morgen weer. Welterusten.'

'Welterusten.'

Ze trok de deur achter zich dicht.

Ik luisterde naar papa en oma. Ze riep nog een keer heel hard dat ze niet ging slapen. Daarna ging papa steeds harder praten en oma steeds zachter.

Ik hoorde mama de badkamer in gaan en uit komen. Misschien verbeeldde ik het me, maar ik rook haar parfum, die hele dure. En uiteindelijk hoorde ik de voordeur dichtslaan en dacht ik zelfs dat ik de auto kon horen wegrijden, de straat uit.

Ik zuchtte diep.

Langzaam tilde ik mijn vier indianenpoppetjes op. Ik bekeek hun gezichten, hun kleding, hun wapens. Er kwam geen enkel verhaal bij me op om na te spelen. En dat was voor het eerst in mijn hele leven.

Daarna deed ik als proef het licht even uit. Ik kon voelen dat mijn eigen kamer kleiner was, veiliger. De gordijnen hier waren veel dikker dan bij mij, waardoor het ook nog donkerder was.

Snel deed ik het licht weer aan. Het was nog geen negen uur. Ik luisterde of ik oma hoorde. Het was vreemd stil. Oma had zacht maar dringend geroepen tot de huisdeur dichtsloeg. Nu zei ze niks meer.

Ik keek naar de stoffige sok onder het bed. Ik zou nooit in slaap vallen, dat wist ik zeker.

4

Ik draaide me om op de harde matras. Wat zou oma nu doen? Had ze het licht nog aan, net als ik? Keek ze naar Sitting Bull? Dat was wat ik altijd deed: zolang het kon keek ik naar zijn rustige, wijze ogen. En als het donker was, dan ook nog. Zelfs als het heel donker was en er helemaal niks anders meer te zien was dan zwart, dan dacht ik dat ik toch de ogen van Sitting Bull nog zag. Ze waren in mijn geheugen gegrift.

Dat zou bij oma nooit gebeuren, omdat oma's geheugen kapot was. Oma kon honderd keer naar de ogen van Sitting Bull kijken en nog steeds doen alsof het de eerste keer was dat ze ze zag.

Een paar jaar geleden merkte ik het voor het eerst. Oma

zei toen al een tijdje dat ze zoveel vergat en ze was begonnen van alles op briefjes te schrijven. Ze moest vaak terug naar de winkel, omdat ze toch niet alles gekocht had wat ze nodig had. Dus ging ze nog meer briefjes schrijven, maar dan vergat ze erop te kijken. Ze vergat verjaardagen, en later ook namen. Soms wist ze niet meer wat ze bedoelde met haar eigen briefjes. Dan stond er heel groot NU, maar wat moest ze daarmee?

Eerst had ik er nooit wat van gemerkt, er alleen maar over gehoord, vooral van papa en soms van haarzelf. Maar op een dag belde ik haar en vertelde over mijn boekbespreking. Dat de klas behoorlijk stil was geweest, dat ik een goed cijfer had gehaald en dat vooral het einde heel goed ging. Ze luisterde net als altijd en zei dat ze trots op me was. We praatten ook over haar. Ze zou naar de kapper gaan. Wassen en watergolven. Daar stelde ik me altijd een hele zee bij voor, een golvende zee. Ze was van plan om die avond een boterham te eten. 'Lekker makkelijk.' Ik wilde bijna ophangen toen ze opeens dringend vroeg: 'Bijna was ik het vergeten, maar gelukkig niet helemaal. Hoe ging je boekbespreking, liever?' Ik stotterde hetzelfde verhaal bij elkaar en ze luisterde weer. Alsof ik het voor het eerst vertelde.

Ik vertelde het aan mama. Die knikte alleen. Daarna vertelde ik het aan papa. Die zei: 'Ja, het gaat nu hard.' Alsof het om een sportauto ging.

En nu lag oma in mijn kamer en misschien wist ze niet eens waar ze was. Straks ging ze uit bed, ging ze op het balkon staan en wilde ze balanceren op de rand, omdat ze dacht dat ze een circusartiest was. Of ze liep naar de keuken en deed alle gaspitten aan, maar vergat de vlam. Er zou allemaal gas het huis in lopen en oma en ik zouden er niks van merken, omdat we sliepen.

Ik sperde mijn ogen nog wat wijder open. Niet dat ik moe was, niet dat ik dacht dat ik in slaap zou vallen, maar voor de zekerheid.

Of misschien ging oma naar de badkamer en zette ze de douche aan met de stop in het putje. Eerst zou alleen de badkamervloer nat worden, maar daarna zou het water onder de deur door stromen, de gang in, door onze hele verdieping. Dan gingen de meubels in de woonkamer drijven.

Met ingehouden adem luisterde ik naar de geluiden in huis. Het was doodstil.

Het kon natuurlijk ook dat oma naar de keuken was geslopen en alle biertjes uit de koelkast had gepakt. Dat deed mijn vader soms als mijn moeder lang wegbleef. Of dat ze achter de computer was gekropen om online kleren te kopen. Dat deed mijn moeder soms als mijn vader er niet was. Zulke dingen maakten niet veel geluid.

Intussen bonkte mijn hart als een juffrouw op hoge hakken met haast.

Wat ook nog kon was dat mijn oma al dood was. Dat terwijl mijn ouders vrolijk dansten, mijn oma haar laatste adem had uitgeblazen en ik nu alleen met haar in ons huis lag. Maar die gedachte kon ik meteen van me afschudden, want ik hoorde haar roepen.

'Hallo,' riep ze, en toen wat harder: 'Hallo, is daar iemand?'

Met trillende knieën kroop ik van mijn matras af. Oma had al ongeveer tien keer vrij hard 'hallo' geroepen en het klonk niet alsof ze er snel mee zou ophouden. Ik kon maar beter naar haar toe gaan en vragen wat er was.

Ik deed de deur van de slaapkamer van mijn vader en moeder hard dicht, omdat ik hoopte dat oma dan zou horen dat er iemand aankwam. Maar ze was niet alleen haar geheugen kwijt, ook haar gehoor leek niet best. Ze bleef maar roepen.

'Ja, oma,' zei ik toen ik de deur van mijn oude kamer opendeed, 'hier ben ik, wat is er?'

Oma lag met een grote witte nachtpon aan en haar grijze haar los op mijn bed. Haar ogen waren rood en vochtig, alsof ze net gehuild had. 'Ik heb dorst,' zei ze.

Ik draaide me meteen om en liep naar de keuken om daar een glas water te halen. Met het volle glas liep ik weer terug.

Oma zag er een beetje spookachtig uit en ik durfde niet vlakbij te komen om haar het glas te geven. Wat nu? Snel zette ik het op de grond naast het bed en ging weer in de deuropening staan. Ze pakte het glas op, ging rechtop in bed zitten en nam een paar heel grote slokken. Meteen verslikte ze zich. Ze begon heel erg te hoesten en hield het glas water zo schuin dat het bed nat werd.

Het hoesten was hard en hevig en het hield niet op. Tussen het hoesten door hapte ze naar adem. Ik twijfelde. Moest ik naar haar toe gaan? Haar op de rug slaan? Misschien was het beter om eerst nog even af te wachten: misschien ging het gewoon over, zoals bij de meeste mensen. Ik telde langzaam tot twintig, maar ze hoestte nog steeds, dus stapte ik op haar af en sloeg op haar rug. Ze begon te kokhalzen. Ik klopte nog wat harder. Bijna wilde ik naar de telefoon lopen om mijn moeder te bellen, toen het beter ging. Oma haalde diep adem, het hoesten werd minder, en ze zette het lege glas op de vloer.

'Jij heet?' vroeg ze.

'Valentijn.'

Soms deed oma zich dommer voor dan ze was, volgens papa, maar je wist nooit zeker wanneer.

'Woon jij ook hier?'

'Ja.'

'Vind jij het hier leuk?'

Ik dacht aan de matras in die grote donkere kamer verderop. Aan mijn vader die vertelde dat ik mijn kamer aan oma moest geven. Ik gaf geen antwoord. Langzaam liet ik mijn adem ontsnappen.

'Ik vind het hier niks,' zei oma, 'ik wil naar huis.'

5

'Heb je het koud?' vroeg oma.

Ik keek naar mijn knieën, die bibberden. Had ik het koud? Of kwam het nog doordat het eng was om hier te staan en met mijn vergeetachtige oma te praten?

'Ja,' zei ik. 'Brr.'

Ze tilde het dekbed een stukje op. Ik aarzelde.

'Kom!' zei ze en haar stem klonk net als die van mijn vader.

Ze ging helemaal tegen de muur aan liggen en ik op het randje aan de andere kant, ik viel er net niet uit.

'Je lijkt op Adriaan,' zei ze.

Ik lachte. Niemand noemde mijn vader Adriaan, iedereen zei Ad.

'Je lacht net zo als hij.'

Daar viel niet om te lachen, dus keek ik oma serieus aan. Ze had los vel onder haar kin en haar gezicht zag eruit of het nodig gestreken moest worden.

'Adriaan was een vrolijk kind,' zei oma. 'Altijd gillen, rennen, lol maken. Hij at enorme borden vol eten: ik maakte altijd eten voor zes, terwijl we maar met ons drieën waren. Vooral stamppot, boerenkool, andijvie, hutspot – dat vond hij allemaal even lekker.'

Ik bekeek haar nog wat beter. Haar ogen waren grijs, er zat een lichtje in haar linkeroog.

'Pas je op dat je al het moois er niet af kijkt?'

'Sorry,' zei ik. 'Ik dacht dat je alles vergeten was.'

'Ik ben niks vergeten. Toch?'

We grijnsden naar elkaar.

'Wie is dat?' Oma tikte op de muurschildering.

'Sitting Bull.'

'Die zit een boel, zeker?' Ze keek me aan, lachend.

'Oma!'

'Ik heb nooit van hem gehoord. Vertel 's.'

'Hij was een beroemd opperhoofd van de Lakota-Sioux-indianenstam. Mama heeft geregeld dat een kunstenares dat voor mijn tiende verjaardag op mijn muur schilderde.'

'Want?'

'Want ik hou heel veel van indianen en ik vind hem er heel wijs uitzien.'

'Mmm,' zei oma.

Ik ging een millimeter dichter bij oma liggen, want ik viel echt bijna uit bed.

'Hij hield niet van vechten, hij probeerde de mensen te

leren hoe ze goed konden leven,' ging ik verder. 'In 1877 moest hij vluchten, met zijn stam. Ze mochten van de Canadese regering in Canada blijven, maar daar was niet veel voedsel, dus verhongerden ze langzaam. Ze moesten zich wel overgeven aan de Amerikanen, maar Sitting Bull was de laatste die dat deed.'

'Ik heb eigenlijk wel honger,' zei oma opeens. 'Zullen we wat eten?'

Nu ze dat zei, voelde ik mijn eigen maag ook. Er lagen nog eierkoeken onder in de kast. Hele dikke grote gele eierkoeken.

'We mogen niet meer uit bed,' zei ik.

'Wie zegt dat?' vroeg oma en ze strekte haar nek ver naar voren en keek heel overdreven om zich heen. Ze zag eruit als een kalkoen die zich uitrekte, en ik keek snel naar beneden om niet te hoeven lachen.

'Nou,' begon ik, 'papa en mama...'

'Ik ben ook een volwassene,' zei oma, 'en ik zeg dat we mogen eten als we honger hebben, zeker als er niemand is om het tegen te spreken.'

Ze trok met een enorme ruk het dekbed van ons tweeën af en gaf me een duw. Ik kwam met mijn billen hard op de koude vloer neer.

'Moet je maar slimmer zijn,' zei oma en ze stapte over mij heen en rende naar de keuken.

Ze had alle kasten al opengetrokken toen ik aankwam. 'Hier,' zei ze en hield een pakje met mie omhoog.

'Ik wil liever iets zoets,' zei ik. Ik bukte me en trok de zak eierkoeken uit de kast.

Oma hield haar vinger omhoog, een waarschuwend gebaar. 'Is dat de auto?'

Ik luisterde, maar het was onze auto niet, maar die van de buren op de begane grond.

De koeken waren zalig. We smakten samen. Het klonk gezellig in het verder stille huis.

'Smakken is heel goed,' zei oma. Toen ze zag dat ik er niks van geloofde, ging ze nog stelliger door: 'Met Geert samen heb ik een wijn- en kaasproefcursus gedaan, en het eerste wat we leerden was slurpen en smakken. Dan proefde je alles veel beter. "We leggen onze opvoeding even opzij om onze beschaving de ruimte te geven," dat zei die cursusleider. Ik hoor het hem nog zo zeggen, met zo'n zware stem.'

Het was wel waar dat de koek me als ik smakte nog beter smaakte dan anders.

'Waarom moet je eigenlijk naar een tehuis?'

'Wie?' vroeg oma.

'Jij,' zei ik. 'Waarom moet je naar een tehuis? Je kan nog best goed voor jezelf zorgen.'

'Vind ik ook. Maar Adriaan wil het.'

De koeken waren op. We liepen de keuken uit, de gang in en stapten weer in mijn oude bed, samen.

Oma keek rond en klopte op de muur. 'Wie is dat?'

Maakte ze een grapje? 'Sitting Bull,' zei ik voor de zekerheid.

'En wie is dat?' Ze keek me een beetje ongeduldig aan; in geen enkel grijs oog zag ik een lach verstopt zitten. Ze meende het.

'Dat heb ik je net al verteld.'

'O,' zei oma en ze haalde haar schouders op. 'Dat zegt Adriaan ook steeds. Hij zegt ook dat ik het gas vergeet uit te zetten, vergeet om op te ruimen en de was te doen en dat soort dingen.'

Ik ging rechtop zitten.

'Wat ga je doen?'

'Ik ga.'

'Waarom?'

Nu haalde ik mijn schouders op. 'We moeten gaan slapen, het is laat, straks komen ze thuis.'

'Ik ga niet slapen,' zei oma, 'absoluut niet.'

'Dat moet.'

'Ik niet.'

'Waarom wil je niet slapen?'

'Ga ik jou aan je neus hangen.'

'Dan niet.'

'Precies.'

Ik trok de deur stevig achter me dicht.

Toen ik halverwege de gang was, riep oma. Hard. 'Hallo, hallo!'

Het klonk best zielig. Zou ik teruggaan?

6

'We moeten echt gaan slapen,' zei ik voor de zoveelste keer. Ik stond alweer even in de deuropening en had koude voeten.

Oma lag met haar benen als een baby opgetrokken in mijn oude bed.

'Straks komen ze thuis, en ze merken het altijd als ik niet slaap.'

Oma ging rechtop zitten. 'Hoe dan?'

'Ze kijken net zo lang naar me tot ik moet lachen.'

Oma knikte. 'Daar weet ik een truc voor.'

Ik deed vanzelf een stap naar haar toe, en zij tilde het dekbed wat omhoog. Ik kroop weer naast haar in bed. Haar losse gebit maakte van dichtbij een ander geluid dan van veraf. Het klonk alsof ze op stenen kauwde.

'Je moet dan aan iets zieligs denken.'

'Dan moet ik nog steeds lachen.' Ik had het wel eens geprobeerd: ik probeerde aan mijn oude kat te denken, die een spuitje kreeg en doodging. Maar al snel lachte ik toch. Moosje was zo oud geworden en was vrolijk tot ze niet meer kon.

'Dan denk je aan iets dat niet zielig genoeg is. Het moet erger zijn.'

Voorzichtig dacht ik aan de ergste dingen die ik had meegemaakt. Dat opa doodging wist ik nog, maar het gevoel dat daarbij hoorde was ik kwijt. Verder was er dus de dood van Moosje. Een erge ruzie met mama.

'Heb je al wat?' vroeg oma.

'Mmm,' zei ik.

'Probeer het eens bij mij,' zei oma. Ze gaf me weer en enorme duw en ik viel uit bed, met mijn billen hard op de koude vloer. 'Jij bent je vader en komt binnen om te kijken of ik slaap.'

Eigenlijk wilde ik roepen dat ik dat niet ging doen. Dat ik het koud had, dat ze steeds veel te hard en te plotseling duwde, dat ik naar mijn matras zou gaan en dat ze het verder helemaal zelf uit moest zoeken.

Maar ik had ook wel zin om te doen alsof ik papa was, want ze zou zeker gaan lachen, vroeg of laat, en ik wilde haar gezicht zien als ze zich gewonnen moest geven.

Ik trok de deur dicht en liep een eindje de gang in. Toen liep ik weer terug. Met mijn blote voeten maakte ik zo veel mogelijk lawaai tijdens het lopen. Ik liep met grote zware papastappen. Het voelde best lekker.

'Eens kijken of oma slaapt,' zei ik met mijn donkerste stem. Ik opende de deur en keek naar het gezicht van oma. Ze had haar mond een beetje open, haar ogen dicht, en het leek echt alsof ze sliep.

Ik telde tot twintig. Zo lang kon ik het volhouden. Haar gezicht bleef hetzelfde. Haar ogen onder haar oogleden schoten niet alle kanten op, maar rustten in haar diepe oogkassen. Er trilde geen enkele spier. Haar gezicht zag eruit als een leeg strand.

Ik wachtte. Mijn voeten waren inmiddels het ijsklomp-stadium voorbij. Waarschijnlijk zouden ze morgen in de loop van de ochtend pas weer net zo warm worden als de rest van mijn lijf.

Oma had ontelbaar veel groeven in haar gezicht. Zou ze er elke keer als ze ergens zorgen over had eentje bij hebben gekregen? Dan was haar leven zwaar geweest. Of was ze op een ochtend opgestaan, ze keek in de spiegel en zag dat ze oud was? En daarna waren de lijnen natuurlijk alleen nog maar dieper geworden.

Langzaam telde ik tot vijftig. En toen nog verder, tot honderd. Waarschijnlijk was ze gewoon in slaap gevallen, dus liep ik weg.

Ik was al halverwege de gang toen oma riep: 'Hallo, hallo, waarom loop je weg? Ik slaap niet hoor, ik ga nooit slapen.'

Al snel lag ik naast haar in mijn bed, en ze legde haar warme benen tegen mijn voeten. Natuurlijk wilde ik dat niet. Maar ze deed het toch. En toen trok ik ze maar niet meer weg.

'Zie je nou hoe je dat moet doen?'

Ik knikte vol overtuiging. 'Ja nou! Waar dacht je aan?'

Oma schudde haar hoofd als antwoord.

'Wel iets heel ergs dus,' zei ik.

'Waarom vind je indianen leuk?' vroeg oma. Ik wist heus wel dat ze het vroeg omdat ze het over iets anders wilde hebben. Maar de vraag was zo leuk dat ik toch antwoord gaf.

'Indianen...' Ik zuchtte. 'Die zijn gewoon geweldig. Ze zien er zo stoer uit. Ik las eerst een stripverhaal en dat vond ik spannend. Er waren indianen die moesten vechten voor hun grondgebied, voor hun stam. Ze sliepen in een tipi. Later las ik echte boeken waarin indianen hun medicijnmannen om wijze raad vroegen. Ze willen altijd voor elkaar zorgen en bij elkaar blijven. Maar ik vind die films ook leuk waar de indianen vechten tegen de cowboys. En met mijn indianenpoppetjes kan je gewoon zulke leuke verhalen verzinnen!' Snel kroop ik uit bed, ik trok de onderste bureaula open en kwam terug met twee poppetjes in mijn hand. Het was nog steeds licht genoeg in mijn kamer om ze te laten zien.

'Kijk, dit is een krijger op zijn paard. Dat paard is beschilderd en hij heeft een broek met strepen aan: daar zit wezelhuid aan vast, dat is een dier, en die strepen zeggen wat over het aantal slagen die hij in de strijd heeft uitgedeeld. Soms speel ik zo'n strijd na en dan laat ik hem een of twee strepen op zijn broek verdienen.'

Oma pakte het indianenpoppetje uit mijn handen en hield het vlak voor haar ogen.

'Om een vijand te kunnen verslaan, moet hij dicht bij zijn tegenstander komen. Pas dan kan hij hem raken, met een knuppel, een beschilderde lans, de loop van een geweer of met een lasso.'

'Je lijkt wel een encyclopedie,' zei oma.

Ik keek haar vragend aan.

'Ik bedoel, je weet er veel van,' zei oma. 'Niemand heeft tegenwoordig nog een encyclopedie. We hadden thuis een hele grote. Je opa kon er heel snel dingen in opzoeken.'

Net toen ik daar wat over wilde vragen, hoorde ik een bekend geluid buiten. Onze auto.

'Ze zijn er!' siste ik en ik sprong uit bed.

Maandag

7

'Valentijn, opschieten,' zei mijn moeder. 'Wat doe je lang-zaam vanmorgen, zo kom je veel te laat op school!'

Ik worstelde met mijn sok. Het was niet eerlijk. Mijn vader en moeder waren gisteravond binnengekomen, pra-tend alsof er niemand in huis sliep. Dat was ook zo, maar ze hoorden te denken dat er twee aan het slapen waren. Dan kon je toch verwachten dat ze zachtjes zouden doen. Maar papa deed gewoon het licht aan in de slaapkamer en poetste zijn tanden bij de wastafel. Hij keek niet naar mij, hij dacht er niet eens aan dat ik er was, tot mama bin-nenkwam, het licht weer uitdeed en 'Ssst,' riep.

'Valentijn ligt hier te slapen,' zei ze.

'O ja,' zei hij, 'vergeten.' Hij lachte te hard. Mijn vader, die altijd zijn gevoel volgt. Hij kuste mama. Meer dan een keer.

'Niet doen,' zei ze, 'straks wordt hij wakker.'

'Daar moet hij dan maar aan wennen,' bromde papa. 'We moeten in onze eigen slaapkamer toch wel ge-woon...'

'Het is maar voor eventjes,' fluisterde mama. 'Je zei zelf dat...'

Hij snoof. 'Ik ga morgen meteen die papieren in orde maken. Het zal best meevallen bij 't Hooge Veld.'

Daarna werd het stil, op een enkele diepe gaap na. Al

snel lag ik met wijd open ogen naar mijn slapende ouders te luisteren.

'Valentijn, opschieten!' zei mijn vader. Hij zat aan de eettafel iets te schrijven. Dat deed hij anders nooit 's morgens.

'Ik doe m'n best.' Ik wist heus zelf ook wel dat het allemaal niet zo vlot ging. Maar ja.

Toen ik gisteren bijna in slaap was gevallen, hoorde ik gehuil uit de gang komen. En iemand zei: 'Nee, nee, ga weg.' Misschien was het oma. Maar het kon ook een inbreker zijn. Ik luisterde of mijn ouders wakker werden, vooral mijn vader. Zodat hij kon gaan uitzoeken wat er aan de hand was.

Papa en mama snurkten alle twee zacht. Ze hoorden niks.

Misschien had ik het wel gedroomd. Wie zou er nou zo gaan huilen 's nachts?

Oma sliep natuurlijk allang. Het moest een droom zijn.

Voorzichtig draaide ik me op mijn andere oor en kneep mijn ogen stijf dicht.

Ik werd weer wakker toen papa terugkwam van de wc en bijna over mijn matras viel. Hij zei een lelijk woord. Eén dat ik nooit zeggen mag.

Wat later werd ik wakker doordat mama naar het toilet ging, echt over mijn matras struikelde en boven op mij terechtkwam.

'Sorry,' zei ze en ik rook haar nachtadem.

En nu zei niemand wat, behalve 'haast je, schiet op, je komt te laat.' En dat terwijl mijn hoofd zo vol zat met natte watten.

Ik lepelde wat cornflakes naar binnen.

'Doe deze brief ook even op de bus, wil je?' Mama gaf me een witte envelop. 'Papa heeft het net allemaal ingevuld.' Ik kwam langs een brievenbus op weg naar school en deed wel vaker iets op de post.

'Goed.' Ik pakte de envelop aan en stopte die in mijn tas, bij mijn gymkleding en fruit.

'Wat is er met je?' vroeg mama. Ik schokte wat met mijn schouders.

'Je bent gisteren toch zo lekker vroeg naar bed gegaan?' Ik knikte maar een beetje.

Oma sliep nog. Tenminste, ik had haar nog niet uit mijn oude kamer zien komen.

'Ja, we moeten allemaal nog even wennen hè?' Ze aaide over mijn haar. Ik dook weg voor haar handen.

'Vandaag hoor je waar jullie vrijdag op schoolreisje naartoe gaan, toch, liefje?

Eindelijk was ik helemaal wakker.

Dat was inderdaad vandaag! De meester zou vertellen waar we naartoe gingen. Dat had ze nou niet moeten zeggen. Ieder jaar kreeg ik hoofdpijn en buikpijn tijdens de schoolreis, en eigenlijk ook al voor de schoolreis begon. Sommige kinderen vinden zo'n dag de leukste dag van het hele schooljaar. Ik zou die dag het liefste gewoon school hebben. Echt.

De deur van mijn kamer ging open en oma verscheen als een spook op de drempel. Haar wangen zagen er hol uit. Ze had haar tanden zeker niet in.

'Maak jij even een kop thee voor je moeder,' zei mama tegen papa.

Hij keek lang op zijn horloge, alsof hij wilde zeggen dat hij weg moest, maar mama deed alsof ze het niet zag. Zuchtend liep hij naar de keuken. Hij trok met veel kabaal een kopje uit de vaatwasser en zette de kraan heel hard aan, waardoor er veel te veel water in de waterkoker kwam en het nog langer duurde.

Oma ging in papa's stoel in de kamer zitten. Ze keek naar buiten.

'Ga, Valentijn,' riep mama.

Ik deed de galerijdeur open en stapte over de drempel. Voor ik de deur dichtdeed en echt wegging, keek ik naar oma. Er was iets, iets in hoe ze daar zat, waardoor ik weer naar binnen wilde gaan en haar wilde omhelzen.

Maar ik deed het niet.

8

'Zijn jullie allemaal een beetje wakker?' Meester Job keek met zijn helderblauwe ogen de klas in. 'Niemand slecht geslapen?'

Hij was een ochtendmens. Als de meeste kinderen nog bezig waren wakker te worden, maakte de meester al volop grapjes. In de loop van de middag werd hij moe, dan moesten we meer zelfstandig werken, vroeg hij vaker om stilte en was hij wat korter af. Om kwart over drie liet hij ons gaan. Dan liep hij terug naar de klas en zette heel hard muziek aan. Soms brulde hij mee met die muziek. Altijd Nederlandstalig. Sommige meesters en juffen zeiden er wat van. Of het zachter kon of uit mocht, of er dan in ieder geval iets anders op mocht – maar hij deed net alsof hij het niet hoorde, of haalde alleen zijn schouders op.

De meester noemde wat televisie programma's die laat begonnen en vroeg wie ze had gezien. Er gingen best veel vingers omhoog. Hij schudde, net als altijd, zijn hoofd. 'Jullie gaan allemaal veel te laat naar bed.'

'Retteketet,' zei Hazel, die altijd met taal bezig was.

Meester Job wees op het digitale bord. 'We beginnen met een spellingtoets. Daarna rekenen, dan gaan we naar buiten, dan houdt Willie zijn spreekbeurt en dan vertel ik over het schoolreisje.'

Hij keek me niet aan, gelukkig. Maar ik voelde wel dat mijn hoofd rood werd.

De eerste lange zin verscheen op het digibord. We moesten de zin overschrijven maar dan goed, want de zin stond vol spelfouten. Dat was de toets. Een heel halfuur lang vergat ik alles om me heen.

Rekenen was niet mijn lievelingsvak, maar ik deed zo goed mogelijk mee. Tijdens de pauze stond ik buiten, tegen de zijkant van de berging van de kleuters.

Willie kwam naast me staan. Hij had altijd een vreemde geur om zich heen, alsof ze thuis bij hem elke dag oliebollen aten. Maar verder was hij aardig.

'Waar gaan we heen, denk je?' vroeg hij.

'Naar huis?'

'Ik bedoel op schoolreisje!'

'Ergens.'

Willie gaf me een duw. 'Slecht geslapen?' Hij deed de stem van meester Job na.

'M'n oma is gisteren bij ons komen wonen. Ze slaapt in mijn kamer, in mijn bed.'

35

Ik dacht aan de brief voor Huize 't Hooge Veld in mijn tas. Stom dat ik die vergeten was op de bus te doen! Hoe sneller, hoe beter.

'Echt?'

'Ja.'

'Waarom?'

'Gewoon.' Ik had geen zin om uitleg te geven over haar vergeetachtigheid.

Het leek of Willie nog iets wilde zeggen: hij haalde diep adem, keek een beetje moeilijk en schudde toen zijn hoofd.

We keken naar Dulce en Katay, die aan elkaars jassen trokken.

'Voetballen?' Willie keek hoopvol. Hij kon niet goed voetballen en daarom wilde niemand dat met hem doen.

'Best.'

We voetbalden best lang. Meester Job lette niet op de tijd. Soms bleven we de hele pauze van de bovenbouw en die van de onderbouw buiten.

De bel ging hard en lang en we ruimden snel de bal op en liepen de school weer binnen.

Toen iedereen zat, zei meester Job: 'De spreekbeurt. Willie, kom maar naar voren.'

Willie stond op en keek even naar mij. Ik knipoogde geruststellend naar hem. Een spreekbeurt houden is altijd spannend, maar het valt ook altijd mee.

Willie ging naast de tafel van meester Job staan met zijn blaadje in zijn hand. Het trilde een beetje.

'Toe maar,' zei meester Job.

'Mijn spreekbeurt gaat over de woningen van indianen.' Hij kuchte en keek weer nerveus naar mij.

Dat was mijn onderwerp! Als er iemand in deze klas iets over indianen zou vertellen, dan was ik het. Hij had mijn onderwerp afgepakt. Natuurlijk knipoogde ik nu niet meer naar hem, ik keek hem strak aan.

Hij kuchte. Zijn handen trilden nog wat meer. 'Indianen wonen in een wigwam.'

'Fout!' schreeuwde ik.

'Ssst,' zei meester Job. 'Na afloop mag je vragen stellen.'

'Maar het is fout, indianen wonen in een tipi.'

'Dat is ongeveer hetzelfde,' zei Willie.

'Niet!' schreeuwde ik.

'Valentijn, je houdt nu je mond,' zei meester Job streng. 'Je moet Willie de kans geven om zijn verhaal te doen.'

Ik sloeg mijn armen over elkaar. Eigenlijk had ik mijn vingers in mijn oren moeten duwen, zo hard ik kon, zodat ik niks van al die onzin die hij ging vertellen zou hoeven aanhoren.

Maar ja.

Willie vertelde voor hij verder ging over de woningen eerst wat over de eerste indianen in Amerika. Over de ontdekkingen die er waren geweest, zoals opgegraven speerpunten. Dat ze vanuit Alaska via het noorden van Amerika naar het zuiden waren getrokken. Dat ze op mammoeten en bizons jaagden, en zich sterk verbonden voelden met het land. Daarna ging hij door over de wigwams.

Elke keer dat hij dat woord zei, leek het alsof iemand me in mijn rug stak met een stevige naald. Ik beet op mijn tanden.

Straks zou ik zeggen dat een wigwam een hut is die koepelvormig is, bedekt met matten van stro. De tenten die indianen gebruikten die rondtrokken, heetten tipi's.

In de taal van de Sioux-indianen betekende tipi 'om in te wonen', dus het was een heel logische naam.

Willie had informatie van allemaal verschillende websites geplukt. Hij vertelde nu hoe een tipi eruitzag. Dat de achterkant hoog en steil was. Dat de tipi niet rond was maar eivormig, en dat ze altijd met de opening naar het oosten toe stonden, de kant waar de zon opkomt. Hij vertelde over het tentdoek en de stokken, over het looien van de bizonhuiden, over het rookgat. Hoe de tipi het bij alle soorten weer goed deed. Hoe je zo'n tipi moest onderhouden en wat erin stond.

Weer stak ik mijn vinger op; ik maakte me zo lang mogelijk.

Meester Job keek naar me. 'Ik weet dat jij het weet, maar Willie is nog niet klaar.'

Willie ging nu door met een warrig verhaal over het geloof van indianen en wat we daarvan konden leren.

'Wat doe je, Valentijn?'

Ik keek naar mezelf. Ik stond midden in de klas, een paar stappen bij mijn tafel vandaan. Hoe ik daar gekomen was, wist ik niet. Dat wat oma had was toch niet besmettelijk? Snel ging ik zitten.

Opeens was de spreekbeurt afgelopen. Willie liet zijn blaadje zakken en keek me smekend aan.

Meester Job zei opgewekt dat we vragen mochten stellen.

Hij keek de klas rond. Sylvie had haar vinger omhoog. Meester Job wees haar aan.

Ze keek naar hem en zei niks, deed niks.

'Hallo?' zei meester Job. 'Hier aarde.'

Een oude grap van hem, waar sommige kinderen weer om moesten lachen.

'Ik weet het niet meer,' zei Sylvie en ze deed haar arm naar beneden.

Hazel deed haar hand omhoog en meester wees haar aan.

'Typisch, die tipi's,' zei ze.

De klas lachte.

Ik rekte me zo ver mogelijk uit.

Meester Job keek me aan en dacht duidelijk na. Hij keek naar Willie, die naar de grond keek.

De meester wist dat ik Willie een paar veel te moeilijke vragen zou stellen en dat zijn cijfer dan naar beneden moest, omdat hij de antwoorden niet zou weten.

Er brandden een paar afschuwelijk moeilijke vragen op mijn lippen, want het was niet eerlijk dat Willie zomaar wat was gaan vertellen over indianen.

'Valentijn,' zei meester Job, 'jij mag morgen wat vertellen over indianen. Dat is dan geen spreekbeurt, want we doen elk onderwerp maar één keer. Je krijgt geen cijfer. Maar zo krijg je toch de kans om wat te zeggen.'

'En nu dan, mag ik nu wat zeggen?'

'Nee,' zei meester Job, 'dat lijkt me beter. Willie, ik geef je een voldoende. Geen dikke, maar toch.'

'Nou ja!' riep ik verontwaardigd uit.

'Valentijn! Nog één woord en ik zet je de klas uit. Echt waar. Begrepen?' De meester wachtte tot ik knikte. 'Het is hoog tijd dat ik wat ga vertellen over het schoolreisje.'

Vanzelf keek ik naar de klok in de klas. Nog twintig minuten.

'Het schoolreisje. Wie heeft er zin in?'

Bijna alle vingers vlogen de lucht in.

Ik begreep niet hoe je zin kon hebben in iets wat je nog helemaal niet wist. Straks zei meester Job dat we naar Rioolland zouden gaan om te zien wat er allemaal met poep gebeurde. Hoe het gemaakt werd, hoe het verwerkt werd, de verschillende soorten.

'We gaan dit jaar naar een plek die iedereen leuk vindt,' zei de meester. De meeste kinderen hingen aan zijn lippen.

Hazel stak haar vinger op.

'Ja?'

'Leukland? Gaan we naar Leukland?'

Een paar kinderen lachten.

'Bijna,' zei meester Job, 'we gaan naar iets waar je pret kan hebben.'

Mijn maag rommelde. Ik had trek. Nog even dan was het middagpauze. Tijd voor brood en drinken bij dikke juf Nel van de overblijf. Even weg uit de klas. Dat Willie altijd thuis ging eten was maar goed ook, want deze pauze zou ik heel wat anders met hem willen doen dan voetballen.

'We gaan dit jaar naar...' Meester Job hield zijn adem in en maakte tromgeroffel gebaren met zijn handen. 'We gaan naar...' Hij noemde de naam van een heel bekend pretpark.

De hele klas begon te loeien. 'Vet, super, gaaf, mooi, leuk, gezellig, spannend, top, tof, fantastisch,' klonk er door de klas.

Alleen ik zei niks.

Ik zag allemaal achtbanen voor me, de ene nog sneller dan de andere. Nog hoger, nog schuiner. Zelfs als ik op de grond stond zou ik mijn hoofd niet zo hoog durven optillen dat ik de bovenste baan goed kon zien, laat staan dat ik erin durfde te stappen. Deze ochtend werd steeds erger. Dit was nog erger dan mijn ergste nachtmerrie. Dit kon niet waar zijn.

'Kijk,' zei meester Job trots en hij liet plaatjes van de website van het pretpark zien op het digibord. Kinderen in een karretje met hun haar strak naar achteren door de wind, hun armen omhoog en hun ogen opengesperd, verstard in doodsangst, met de lach op hun gezicht bevroren.

Weer joelde de klas.

Ik was nu al misselijk en duizelig. Eten hoefde ik straks echt niet meer.

9

Oma zat in papa's stoel in de kamer en keek naar buiten. 'Dag oma,' zei ik. 'Zit je nog steeds in je nachtpon?'

Oma keek naar haar kleren en trok wat aan de stof. 'Ik weet het niet,' zei ze.

'Wat heb je de hele dag gedaan?'

'Ik weet het niet.'

Eigenlijk kon ik me daar best wat bij voorstellen. Mijn hele middag was voorbijgegaan zonder dat ik wist hoe. Opeens ging de bel weer en was het tijd om naar huis te gaan.

'Zal ik wat kleren voor je pakken?'

Oma knikte.

Ik liep mijn kamer in en keek in de kast. Daar hingen een paar grijze jurken. Ik trok er een van een haak af en liep naar haar toe. 'Is deze goed?'

Ze trok als antwoord haar nachtpon wat omhoog.

'Nee, nee,' zei ik snel, 'je moet je niet hier omkleden maar daar.'

Ze bleef gewoon zitten en keek naar buiten.

'Woon jij ook hier?'

'Ja.'

'Vind jij het hier leuk?'

Ik dacht aan de matras in die grote kamer verderop. Aan de drie plankjes. Langzaam liet ik mijn adem ontsnappen.

'Ik vind het hier niks,' zei oma, 'ik wil naar huis.'

'Dit is je huis,' zei ik.

Ze schudde beslist haar hoofd heen en weer. 'Nee.'

Ik liep naar de keuken en schonk mezelf een groot glas water in. Terwijl ik het leegdronk stond oma opeens achter me.

'Je laat me schrikken!'

'Ik heb dorst,' zei ze.

Ik liet mijn lege glas vollopen en wilde het haar geven. Ze tuitte haar lippen. Voorzichtig duwde ik het glas tegen haar lippen en gaf haar steeds een klein slokje tot het glas leeg was.

'Als jij je nu aankleedt, dan gaan we daarna wat leuks doen,' hoorde ik mezelf zeggen.

Oma's gezicht veranderde meteen: alles trok omhoog in plaats van naar beneden.

Ze liep de gang in. 'Welke deur is het ook weer?'

'Die eerste, oma.'

Na een tijdje kwam oma terug. Ze had de jurk aan en haar haren waren gekamd. Ze zag er weer netjes uit, als een gewoon oud dametje.

'Zullen we een spelletje doen?'

'Goed.'

'Memory?'

Oma knikte en ik haalde snel het spel uit de kast in mijn kamer. Heel even keek ik naar de muur, míjn muur met Sitting Bull. Hij keek me aan. Ik slikte een dikke prop uit mijn keel weg.

'Met twintig paar?'

'Best.'

'Vijf rijen van vier?'

'Je lijkt op Adriaan,' zei oma, 'die wilde ook altijd spelletjes spelen. Geert speelde veel met hem. Dan deed ik klusjes in huis, en als de klusjes klaar waren dan speelden we met z'n drieën. Soms mocht hij tot laat opblijven. En als ik hem dan naar bed bracht, dan had hij rode wangen van plezier. Warme zachte rode wangen, en daar gaf ik dan een kus op.'

'Jij mag beginnen, ' zei ik en keek naar de vijf rijen.

Al snel had ik zes potjes gewonnen. Oma wist geen enkel paar te vinden. Nou ja, één keer, toevallig. Het was wel leuk om te winnen, maar ook saai. En oma vond het niet leuk dat ik haar steeds uitlachte.

'Dat is niet leuk,' zei ze, als ik weer twee of drie paar omdraaide en daarna lachte wanneer zij het weer verkeerd deed.

43

'Wat zullen we nu gaan doen?'

'Iets leuks,' zei oma, 'iets écht leuks!'

1 □

'Ik moet eerst nog wat aan mijn huiswerk doen,' zei ik.

Ik liep naar mijn matras en mijn drie plankjes in de kamer van papa en mama. Daar stonden mijn lievelingsboeken.

'Ik ga iets over indianen vertellen, iets wat niemand weet,' zei ik en ik vertelde hoe het was gegaan met Willie en de spreekbeurt.

'En daarna gaan we een spelletje doen,' zei oma, 'een leuk spelletje.'

Ik lachte, maar ik merkte weer dat oma dat niet leuk vond. Haar rommelige onderlip trok ze naar binnen, zoals een slak zijn voelsprieten.

'Slaap jij hier?' vroeg oma. Ze keek naar het grote bed en naar mijn matras en weer terug.

Ik knikte.

'Waarom?'

'Ik moet hier slapen, omdat...' Ik wilde zeggen 'omdat jij mijn kamer zo nodig moest hebben'. Maar ik slikte het in, want dat wilde oma helemaal niet. 'Omdat het even moet.'

Oma knikte. 'Tegen mij zeggen ze dat ook steeds, het moet even. Maar gelukkig hoeft het nooit lang. Altijd even.'

Ik keek naar mijn boeken en dacht na. Wat zou een goed onderwerp zijn om morgen over te vertellen?

'Dus ga ik altijd maar even slapen, nooit lang.' Ze trok wat pluisjes van haar jurk en liet ze op de grond vallen.

Ik bladerde door een boek. 'Dromen,' zei ik.

'Precies,' zei oma, 'nare dromen. Hoe weet jij dat?' Haar mond bleef openstaan.

'Indianen en dromen,' zei ik, 'daar ga ik morgen wat over vertellen.'

De hele tijd dat ik bezig was met voorbereiden zat oma naast me. Elke keer als ik wat langer nadacht, vroeg ze: 'Ben je klaar?' Als ik mijn hoofd schudde knikte ze begripvol, alsof ze het al wist.

Na een tijdje deed ik mijn boek dicht en vroeg: 'Zullen we een indianenspel doen?'

'Is dat leuk?'

'Ja.'

'Kan ik het?'

'Ja.'

'Waar wachten we dan op!'

We liepen naar mijn kamer om een oude bal te zoeken. Een slappe, want eigenlijk mocht ik binnen niet ballen. Er kon van alles stuk gaan. Maar een slappe bal konden we niet vinden, alleen mijn bruinoranje keiharde basketbal. 'Dan doen we het hier maar mee.' Ik nam de bruinoranje bal onder mijn arm, liet oma in de gang staan en deed de deur van de huiskamer dicht. Waar zou ik de bal verstoppen? Onder de bank? Achter het gordijn? In de grote bloempot? Op de bovenste plank van de grote kast?

Ik vond een goede plek. 'Binnen!'

Oma kwam blij de kamer in en keek om zich heen. Ze bukte, ze speurde. 'Hier in de kamer hè?' Ze ging op haar tenen staan en ging zelfs met moeite op handen en knieën zitten.

'Moeilijk,' zei oma, 'maar het gaat me lukken, hoor. Ik kan geweldig goed zoeken. Vroeger riep iedereen mij als er iets kwijt was, en dat was best vaak. Dan miste iemand zijn sleutels, dan weer een borstel of een sjaal of handschoenen. Niemand zag ze, maar ik wel. Dus het kan even duren, maar ik zal hem vinden. Hij is wel echt hier in deze kamer?'

Haar grijze ogen twinkelden, alsof er sterren in woonden.

'Ja hoor,' zei ik. Ik twijfelde of ik het niet te moeilijk had gemaakt.

Oma kroop over de vloer, ze pakte er een stoel bij om hoog op de kast te kijken. Ik zat in papa's stoel en deed of ik uit het raam keek.

'Hebbes!' zei oma.

Ik keek op en zag oma de bal uit de tijdschriftenbak halen. Eerst had ik er een heleboel tijdschriften uit gehaald, die ik onder de bank had geschoven. Daarna had ik de bal onderop in de bak gelegd en daaroverheen een hele stapel tijdschriften; je zag echt helemaal niks meer van de bal.

'Je kan echt goed zoeken!' zei ik.

Oma liet de bal enthousiast stuiteren en er viel een glazen konijn van de vensterbank. Kapot.

'Oohhh!' zei oma.

'Dat was mam haar lievelingsbeeldje!' riep ik.

Oma begon de blauwe scherven op te rapen, maar ze sneed zich bijna, dus bukte ik en nam ze uit haar handen. 'We moeten het opruimen,' zei ik.

46

'Ze mag het niet weten!' zei oma.

Ik haalde een oude krant uit de gangkast en deed alle scherven er een voor een in.

Toen alles erin lag vouwde ik de krant dubbel. Oma en ik speurden de grond af op zoek naar vergeten stukjes. Die stopten we erbij.

'We moeten het proberen te lijmen.'

'Waar zullen we dit dan verstoppen?' vroeg oma mij.

We liepen als vanzelf naar mijn oude kamer. Oma trok de kledingkast open. 'Hier, achterin?'

Ik legde het achter in de kast en oma trok een grijze jurk van de haak en legde die eroverheen.

Op dat moment ging de voordeur open en riep mijn moeder: 'Ik ben thuis!' Ze rekende op thee, net als anders, en op een zoon die met ongeduld op haar wachtte.

Mijn hart begon in mijn keel te kloppen. Mijn moeder duwde de deur van mijn oude kamer open en keek naar binnen. 'Wat zijn jullie hier aan het doen?'

'Niks,' zeiden oma en ik tegelijk.

'Jullie kijken zo betrapt!'

'Wil je thee?' vroeg ik en liep langs haar naar de keuken.

Gewoon doen, gonsde het in me, gewoon gewoon doen. Even moest ik aan Hazel denken, met haar typische tipi's. Ik glimlachte, ondanks alles.

'Moeder,' zei mama tegen oma, 'als jij eens lekker in de kamer gaat zitten, dan zetten Valentijn en ik thee en gaan we samen koken, zoals altijd.'

Oma keek mij aan en ik knipoogde. Ik hoopte dat zij ook begreep dat ze gewoon moest doen. Hoe dan ook, ze draaide zich om en liep naar de stoel van papa.

Mama deed de deur van de keuken dicht.

'Deed ze raar tegen je, liefje?' vroeg mijn moeder. Ze pakte de waterkoker en draaide de kraan open.

'Mmm,' zei ik. Zo kon ik een echt antwoord misschien wat uitstellen.

Mama draaide de kraan dicht en zette de waterkoker op zijn voetje. 'Ik was er al bang voor!' zei ze. 'Wat deed ze?'

Ik werd rood. Ik had kunnen zeggen dat ze het blauwe glazen konijn stuk had gemaakt. Dat had ik kunnen zeggen, maar ik zei niks.

'Ze moet hier zo snel mogelijk weg!' zei mijn moeder. 'Je hebt die brief op de post gedaan, hè?'

Ik knikte. Maar ik had de brief nog niet gepost. Na die spreekbeurt en het schoolreisjesnieuws was ik heel erg in gedachten naar huis gewandeld. Daarna had ik met oma gespeeld. Best leuk eigenlijk.

'Ze is gewoon gek!' zei mama. Ze pakte met woeste bewegingen de theepot en de kopjes.

'Nee,' zei ik, zo fel dat ik er zelf verrast door was, 'ze is niet gek. Ze weet alles nog van vroeger, ze vertelt steeds over opa en over papa toen hij Adriaan heette.'

Mama kneep de vaatdoek uit en keek me aan. 'Ik heb een drukke dag gehad. Papa heeft een vergadering. Ik moet niet alleen jou, maar ook oma straks in bed zien te krijgen. En liefje, het zou helpen als je meewerkt.'

'Ik schil de aardappelen wel,' zei ik en pakte het scherpe mesje uit de la.

11

De tweede avondmaaltijd met oma erbij ging zo.

Mijn moeder schepte het eten op. Oma en ik kregen veel boontjes, redelijk wat aardappelen en een klein stukje vlees. Er was voor vier mensen vlees, en oma at meteen haar stuk op en prikte met haar vork in het vierde stuk.

'Wat ga je daarmee doen?' vroeg mama. Het was het eerste wat er werd gezegd tijdens het eten.

'Opeten,' zei oma, 'wat anders?'

Mijn moeder duwde de hand met de vork met het vlees naar beneden, naar de pan waar het uit kwam, en haalde met een snelle beweging van haar vork het vlees los van de vork van oma.

'Dat is niet voor jou,' zei mama, 'dat is voor Ad.'

'Adriaan,' zei oma.

'Ad.'

Ik wist al dat mijn vader een vergadering had, maar vroeg toch nog maar even waar hij was.

Mama gaf zuchtend antwoord. 'Die heeft een vergadering, hij komt later. Nu we met z'n allen in dit huis wonen, zijn we ook allemaal verantwoordelijk dat alles goed loopt,' ging ze verder, 'dus oma, jij ruimt straks de tafel af. Valentijn, jij ruimt de afwasmachine in, en ik zet dan straks koffie of thee.'

Oma vouwde haar armen voor haar borst. Ze keek mama aan. Het was duidelijk wat ze daarmee wilde zeggen.

'De tafel afruimen, dat kan je best,' zei mama.

Oma haalde haar tanden uit haar mond. Ze legde ze op haar bord, op de plek waar eerst haar vlees lag.

'Moeder!'

Oma keek haar aan en lachte haar tandvlees bloot.

'Moeder!'

'Oma,' zei ik, 'kun je je tanden weer in doen? Ik word er misselijk van.'

Meteen pakte ze haar tanden op en stopte ze in haar mond. Daarna nam ze een grote hap boontjes.

Mama keek stomverbaasd van mij naar oma en weer terug. Daarna schudde ze haar hoofd en nam een hap.

Niemand zei meer wat. Onze hoofden waren vol en de borden raakten leeg.

Toen de tafel afgeruimd was speelden oma en ik het verstopspel in mijn oude kamer, deze keer met een prop papier.

Oma stond op de gang. Zij wilde weer zoeken. Ik verstopte de prop heel goed: in de sloop van het kussen van oma. Ze vond 'm.

Daarna mocht ik op de gang. Oma verstopte de prop. Ik mocht binnenkomen en begon te zoeken. Ik zocht in het bed, onder het bed, in de kast, op het bureau, in alle laden, in de sloop, in alle sokken, achter het behang – ik zocht overal en vond de prop niet.

Mijn moeder kwam binnen, zonder kloppen. 'Douchen!' zei ze en wees naar oma. Terwijl oma in de douche was, zocht ik verder. Ik vond de prop niet.

Daarna kwam mijn moeder met oma binnen en wees op mij. Ik liep met mijn moeder mee naar de douche. 'Ik kan het dus wel alleen,' zei ik.

Mijn moeder wilde iets zeggen, maar ze keek me alleen aan en knikte. 'Vijf minuten,' zei ze.

Ik kleedde me alleen uit, stapte alleen onder de douche, genoot alleen van het warme water. Ik wist dat mijn moeder me vanaf nu eindelijk altijd alleen zou laten douchen.

Toen ik de slaapkamer van mijn ouders in liep en mijn pyjama aantrok bedacht ik nog één plek waar ik kon zoeken naar de prop in mijn oude kamer.

Oma was met mijn moeder in discussie over het slapengaan.

'Je kan niet wakker blijven.'

'Wel.'

'Nee.'

'Wel.'

Ik deed de deur van mijn kledingkast open en trok de grijze jurk van oma van de dichtgevouwen krant met de glazen scherven af. Mijn moeder lette niet op mij. Ze was met haar volle aandacht bezig oma over te halen om te gaan slapen.

De prop lag er niet. Ik had echt geen idee waar die verstopt kon zijn.

'Vort,' zei mijn moeder, 'jij naar je eigen plek, dan kom ik zo bij je.'

Oma begon harder te roepen dat ze niet ging slapen.

Mijn moeder begon harder te roepen dat ze wel moest gaan slapen.

'Oma,' zei ik, 'denk maar aan mijn huiswerk, aan wat ik morgen in de klas ga vertellen. Over dromen, over indianen en dromen.'

Oma knikte. 'Dat klinkt mooi,' zei ze, 'maar ik weet het niet meer. Wil je het nog een keer vertellen?'

'Ja hoor,' zei ik, 'als je dan in je bed blijft liggen.'

Ze knikte.

'Vijf minuten,' zei ik tegen mijn moeder.

Daarna liet oma zich in bed stoppen door mama. Niet van harte. Maar toch.

Toen mama een kwartier later bij mij kwam zitten, op de rand van haar eigen bed, wilde ze mijn haar aaien. Net op tijd trok ik mijn dekbed omhoog en stootte tegen haar hand, die ze meteen terugtrok.

'Je hebt een wonderbaarlijk goede invloed op haar, liefje,' zei ze.

Ik had geen zin om weer zo lang wakker te liggen. Dus ik keek eerst heel goed om me heen in de grote, lichte slaapkamer van mijn vader en moeder. Toen ik zeker wist dat er niks en niemand in de kamer was, draaide ik mijn hoofd zo dat ik in mijn dekbed keek en in het donker kon staren tot mijn ogen dicht zouden vallen. Dat gebeurde ook, want ik werd wakker uit een droom toen mama de kamer in kwam. Ze deed het licht aan en meteen weer uit, struikelde over mijn matras en deed verder zo zacht mogelijk. Maar ik was toch klaarwakker. Ik luisterde naar haar ademhaling en probeerde net zo snel te ademen als zij, maar dat lukte niet. Mijn adem ging langzamer.

Ik moest weer in slaap zijn gevallen, want ik werd wakker van papa die het licht aandeed. Hij liet het gewoon aan terwijl hij zich uitkleedde. Ik zag zijn harige benen. Daarna stapte hij in bed, gaapte luid en deed het licht uit. Mama werd een beetje wakker. 'Hallo,' zei ze slaperig tegen hem, 'alles goed?'

'Nu wel,' zei hij.

Ik hoorde een kusgeluid. Het dekbed verschoof. Na een tijdje zei mama: 'Nee, Ad, de jongen...'

'We kunnen vanaf nu toch niet nooit meer...'

'We hebben het er morgen wel over,' zei mama. 'Welterusten, schat.'

Ik had wel een idee wat er zoal gebeurde in dat bed, maar daar moest ik niet te veel aan denken. Gelukkig was ik nog niet groot, had ik nog geen vrouw met wie ik in één bed moest slapen. Ik dacht aan de koude tenen van Hazel en rilde.

Toen ik net weer slaperig werd, hoorde ik geschreeuw. 'Nee, niet doen, ga weg, ga weg zeg ik je!'

Het was oma. Ze had waarschijnlijk een nare droom. Ik durfde niet uit bed te gaan, en papa en mama reageerden niet.

Ik luisterde tot het roepen zachter werd en ik alleen nog huilen hoorde.

Door dat huilen werd ik een nare droom in gelokt, iets over een donker huis, waar ik met een schokje weer uit wakker schrok. Half wakker wenste ik dat papa weg was en dat ik alleen met mama deze kamer deelde. Daarna wenste ik dat mama ook weg was en dat ik alleen in deze kamer lag. Vlak daarna wenste ik dat papa en mama zonder mij in hun kamer lagen en dat ik alleen was. Op mijn eigen kamer. Zonder oma.

Dinsdag

12

De volgende morgen stond ik weer doodmoe op. Gelukkig zeurde mama niet.

Oma stond in haar witte nachtpon in de deur van mijn oude kamer. Ik liep naar haar toe. 'Waar is de prop papier?'

Oma keek me aan alsof ze niet eens wist waar ze zelf was, laat staan waar een prop papier was.

'Prop papier?'

'Ja,' zei ik, 'die je gisteren verstopt hebt in je kamer, weet je wel.'

Ze keek me nog steeds aan alsof ik gek was.

'Die ik zocht, die jij verstopte.'

'Ik weet het niet,' zei oma.

'Nee,' zei ik. Dat was duidelijk. 'Weet je nog dat het blauwe konijn kapotging?'

'Een blauw konijn? Is het dood?' Oma keek nu echt geschokt.

'Laat maar,' zei ik.

Ik mikte mijn aantekeningen voor mijn praatje over dromen bij de indianen in mijn schooltas en zag de brief weer.

Ik was 'm echt niet expres vergeten.

Vlak voor ik de deur uit ging, kwam oma de woonkamer binnen, nog steeds in haar nachtpon.

'Kun je breien?' vroeg ik.

'Tuurlijk,' zei oma.

'Kun je vandaag een zachte bol breien? Dan kunnen we daar vanmiddag het indianenverstopspel mee spelen.'

'Tuurlijk,' zei oma. Ze keek een stuk vrolijker.

'Mama weet waar de breispullen liggen,' zei ik en gaf haar een zoen. 'Dag oma, ik ga naar school.'

'Dag jongen.'

Al snel stond ik voor de klas. 'Goed,' zei ik en schraapte mijn keel, 'ik ga ook wat vertellen over indianen.'

Ik keek naar meester Job en Willie.

Meester Job keek me aan en knikte aardig naar me en Willie keek naar zijn handen, heel aandachtig, alsof hij ze nooit eerder had gezien.

'Ik ga niet vertellen wat Willie allemaal fout zei gisteren,' zei ik. Gisteren wilde ik daar nog mee beginnen, maar ergens tijdens de afgelopen onrustige nacht had ik besloten het niet te doen. Ik was niet meer zo boos, en ik wilde gewoon een leuk verhaal vertellen. Waarschijnlijk was iedereen de helft van wat Willie had verteld toch al vergeten. Zo belangrijk was het ook niet.

'Ik wil wat vertellen over indianen en dromen.'

Hazel gaapte luid en de klas lachte.

'Hazel, ophouden,' zei meester Job. 'Geef Valentijn een kans.' Dat was wel echt goed van meester Job: hij behandelde iedereen gelijk. Gisteren moest ik Willie een kans geven, en vandaag had ik een kans verdiend.

'Indianen konden zich door een sjamaan, dat is een wijs

55

iemand, laten trainen in dromen. Het was belangrijk voor een indiaan die wilde dromen om zich voor te bereiden. Hij moest een plek opzoeken waar het stil was, en het was verstandig om een paar dagen niet te veel te eten, wel veel te bidden en af en toe een pijp te roken. Op een bepaald moment voelde de indiaan dat hij klaar was voor het visioen.'

Misschien wist niet iedereen wat een visioen was, maar ik had geen zin om steeds met mijn verhaal te stoppen om alles uit te leggen. Ik hoopte maar dat genoeg kinderen wisten dat een visioen een soort inzicht was, een boodschap.

'Meestal kwam er een dier voor in zijn droom. Dat dier was een boodschapper van een hogere macht. Zo'n beer, of hert of wolf vertelde de dromende indiaan wat hij moest doen. Die boodschappen waren heel duidelijk. In de droom werd bijvoorbeeld gezegd hoe iemand zijn wapenuitrusting moest beschilderen, waar en op welke dieren hij moest jagen, of welk voedsel ze niet mochten eten.'

Daarna vertelde ik dat er droomclubs waren, zoals de 'dromers van de Beer', die goed waren in het genezen van mensen, en de 'dromers van de Wolf', die alles wisten van oorlog voeren. Ik vertelde dat er beroemde dromersgenootschappen waren en dat ze wedstrijden hielden wie het beste kon dromen, wie de grootste krachten had.

De klas werd onrustig. Hoe lang was ik bezig, nog niet zo lang toch?

'Afronden, Valentijn,' zei meester Job.

Ik vouwde mijn blaadjes dicht. 'Iemand nog vragen?'

'Zit jij ook bij een droomclub?' vroeg Johan, die altijd bezig was met voetbal.

'Nee,' zei ik. Misschien had ik 'ja' moeten zeggen, dan werd hij vast bang voor me.

'Ik wel,' zei Johan en hij noemde de naam van zijn voetbalclub. 'Echt een droomclub.' Daarna gierde hij het uit om zijn eigen grap.

'Iemand nog een serieuze vraag?' vroeg meester Job.

Niemand stak zijn vinger op.

'Dank je, Valentijn, voor je boeiende verhaal,' zei de meester. 'Ga maar zitten.'

'Je bent mijn droom,' zei Hazel toen ik langs haar liep. Natuurlijk wist ik dat ze het niet meende, maar ik kreeg toch een kleur. En zij zag het.

De rest van de dag duurde best lang. Ik was moe toen de bel eindelijk ging en ik slenterde naar huis.

Ik liep langs de brievenbus, dacht aan de brief in mijn tas maar pakte hem niet. Ik stak mijn tong uit tegen de brievenbus.

Misschien had oma wel echt een bol gebreid.

1 3

Oma zat in papa's stoel in de kamer naar buiten te kijken. Het zag eruit alsof ze dat de hele dag had gedaan.

'Dag oma,' zei ik, 'zit je nog steeds in je nachtpon?'

Oma keek naar wat ze aan had en trok wat aan de stof. 'Ik weet het niet,' zei ze.

Ik liep mijn oude kamer in en trok de kast open, pakte een grijze jurk en liep naar oma toe.

'Alsjeblieft,' zei ik, 'trek die maar even daar... aan.' Ik wees naar mijn oude kamer.

Oma staarde naar buiten.

'Kom,' zei ik wat harder, 'opstaan.'

Oma stond op en liep naar de slaapkamer.

Toen ze terugkwam had ze de jurk aan, en ze had ook iets in haar hand.

Ze keek heel trots.

Het was een bol, een gebreide bal. Een gifgroen, bobbelig ding.

'Top!' zei ik. 'Ik dacht dat je het vergeten zou zijn!'

'Ik had het opgeschreven,' zei oma, '*bol breien*, en ik vond het briefje op tijd en wist nog wat het betekende.' Ze keek trots, maar probeerde dat te verbergen door haar wangen in te trekken.

Ik kneep in de bol, die zacht en stevig was, perfect voor ons verstopspel.

'Dat kwam de laatste tijd nog wel eens voor, dat ik een briefje niet op tijd vond. Dan stond er: *gas uit*. Of: *kraan uit*. Zo gebeurden er vervelende dingen. En daarom moest ik verhuizen.' Oma keek erbij alsof ze al uren spruitjes moest eten.

'Zullen we met de bol spelen?' Ik dacht aan de prop papier die oma ergens in mijn oude kamer had verstopt, zo goed dat ik hem niet kon vinden. En nu wist ze het zelf niet meer. 'Zal ik weer verstoppen?'

Oma knikte blij en ging op de gang staan. Ik deed de deur van de woonkamer achter haar dicht. Eigenlijk waren er niet eens zo veel goede verstopplekken in de kamer. Sommige plaatsen waren gewoon veel te open, andere veel te gemakkelijk en weer andere te klein. Zo bleven er maar een paar plaatsen over. Morgen moesten we maar door het hele huis gaan verstoppen, dan was het spannender. Maar nu vond ik nog een goede plek.

Ik liet oma binnen. Ze deed haar neus omhoog als een hond die iets lekkers rook, ze snoof en keek en zocht. Al die plekken die ik al had gezien, zag zij ook. Op die ene na.

Het zoeken duurde vijf minuten, tien minuten, elf minuten.

'Ik geef het op,' zei oma. 'Ligt hij hier wel?'

'Ja hoor,' zei ik. 'Zal je helpen? Ik zal warm of koud zeggen. Je bent nu lauw.'

Oma zette een grote stap in de juiste richting. 'Warmer,' zei ik. Ze deed nog een pas. 'Nog warmer,' zei ik.

Oma bukte zich.

'Heet.'

Ze trok de gebreide bal uit de la van de grote kast. Vanaf de buitenkant dacht je dat het niet zou passen, maar het was me gelukt om de bal erin te proppen.

'Ik heb dorst,' zei oma.

In de keuken dronken we ieder een glas water, slokje voor slokje.

'Je bent een lieve jongen,' zei oma.

En op dat moment schoot er een idee door mijn hoofd. Een heel goed idee, al zeg ik het zelf.

Meestal moest ik dan nog lang nadenken. Of het wel echt een goed idee was, en of het niet anders kon, nog beter. Maar nu liep ik naar de slaapkamer van mijn vader en moeder. Even keek ik naar mijn drie plankjes. Naar mijn matras op de grond. Ik trok eraan.

'Wat doe je?' vroeg oma.

'Help eens,' zei ik.

59

Ze ging aan de andere kant van de matras staan en tilde hem een stukje op, liet hem vallen en hijgde. 'Zwaar.'

'Bij "drie" til jij die kant op en ik deze, en dan tillen we 'm zo de kamer uit.'

We zetten een paar passen en stonden in de krappe gang.

'En nu?' vroeg oma buiten adem.

'Nog een klein stukje,' zei ik. Weer telde ik tot drie en we zetten een paar passen. Toen rustten we weer uit.

'Wat gaan we met dat zware ding doen?' vroeg oma.

Ik wees. Ze keek naar mijn vinger en naar de plek waar ik naar wees, en er verscheen een brede glimlach op haar gezicht. 'Je gaat verhuizen.'

'Ja,' zei ik. En op dat moment wist ik dat ik die brief nooit op de post ging doen.

Oma haalde diep adem en tilde de matras met extra kracht op. Even later lag hij op de vloer naast mijn oude bed, waar oma nu in sliep.

'Gezellig,' zeiden we tegelijk.

14

We waren net klaar met het leeghalen van de drie plankjes in de slaapkamer van mijn vader en moeder en zaten in mijn oude kamer toen ik de voordeur hoorde opengaan.

Mijn moeder kwam naar mijn kamer, keek naar mijn matras naast het bed van oma en zuchtte.

'Juist leuk toch?' zei ik.

'Dat wel,' zei mama, 'maar ik hoopte dat je thee had gezet, net als anders, en misschien dat je de aardappelen al had geschild. Ik ben doodop, liefje. De telefoon ging de hele dag.'

Oma liep meteen naar de keuken en haalde een scherp mes uit de la. 'Geef mij die piepers maar,' zei ze.

Mama keek naar het gezicht van oma, naar het scherpe mes en naar mij. 'Weet je het zeker?'

'Zeker,' zei oma en ze lachte haar neptanden bloot.

'Doe maar,' zei ik.

Mama pakte de zak met aardappelen en zette die voor oma neer.

Ik deed water in de waterkoker en zette hem aan.

'Wat hebben we voor vlees?' vroeg oma.

'Gehakt,' zei mama, 'we eten een bal gehakt.'

'Laat mij ze maar maken,' zei oma. 'Lekkere ouderwetse gehaktballen.'

Weer aarzelde mama.

'Ik maak er dan acht, dan lijkt het meer en dan zijn ze zo gaar,' zei oma. 'Je koopt steeds maar zo weinig vlees.'

'Veel vlees is niet goed voor je,' zei mijn moeder. Dat zei ze ook altijd tegen mij als ik klaagde. En dan was ik stil. Maar oma niet.

'Maar we kunnen toch wel de ene dag vlees eten, goed vlees, genoeg vlees, en de andere dag niet? Dat kan toch wel?'

'Vegetariër worden?' Mama sprak het woord uit alsof ze zojuist misselijk was geworden.

'Voor de helft van de week dan.'

'Mmm,' zei mama, 'dat is misschien wel... een aardig plan.'

Ondertussen pakte ik een theezakje, ik haalde de theepot en drie mokken uit de kast en wachtte tot de water-koker afsloeg.

Oma had in een sneltreinvaart een pan vol aardappelen geschild. 'Nog meer?' vroeg ze en ze keek mijn moeder aan.

'Nee,' zei mijn moeder, 'het is zo al goed. Wat doe je dat snel.'

'Ervaring, hè?' zei oma. 'Mijn hele leven niks anders ge-daan. Adriaan lust graag piepers.'

'Ad eet inderdaad graag aardappelen,' zei mijn moeder, 'maar gelukkig lust hij nu ook pasta en rijst.'

Ik schonk de mokken vol met thee.

'Pauze!' zei ik.

Toen mijn vader thuiskwam gingen we meteen eten.

Oma verdeelde het vlees. 'Net als vroeger,' zei ze toen ze papa zag kijken.

De gehaktballen smaakten anders dan die van mijn moeder. Meer zout, vetter. Hier kon ik wel aan wennen.

Mama vertelde papa over de veranderingen in huis. Hij zei dat hij blij was dat oma ook wat mee kon helpen, dat gaf verlichting voor mijn moeder.

Ik besloot dat ik de brief voor Huize 't Hooge Veld moest zien kwijt te raken. Anders zou mama 'm zeker vroeger of later vinden.

Ze vertelde dat ik bij oma was ingetrokken en papa zei: 'Perfect!'

Hij glimlachte breed, eerst naar mij, daarna naar mijn moeder en toen naar zijn moeder. 'Dus jullie kunnen het wel vinden samen? En wij hebben onze slaapkamer weer voor onszelf?'

Iedereen aan tafel knikte.

Papa dacht na. Midden in de gedachte keek hij me aan en vroeg: 'Vind je niet?'

Dat deed hij wel vaker en eerlijk gezegd begreep ik er niks van, maar ik had geen zin om weer een hele uitleg te horen. In ieder geval was oma niet de enige die soms zomaar wat zei.

'Vast,' zei ik. Voor de zekerheid keek ik maar een beetje moeilijk: ik dacht aan het gebroken blauwe konijn en toen ging het vanzelf.

Papa smakte. 'Ik waardeer het zeer,' zei hij, 'en wat een lekkere gehaktballen zijn dit!'

Ik had het idee dat ze het niet zouden waarderen als ik weer gillend van de lach naar mijn kamer of de wc zou verdwijnen. Dus dacht ik aan heel veel kapotte blauwe konijnen en bleef ik aan tafel zitten.

15

Goed, het was krap. De matras lag ingeklemd tussen de kast, die niet meer open kon, en mijn oude bed waar oma nu in sliep.

Mama zei het ook toen ze ons welterusten kwam zeggen. 'Het is wel erg krap.'

Het had geen zin het te ontkennen.

'Ja,' zei oma.

'Ja,' zei ik.

'Wel lekker knus,' zei oma.

'Gezellig.'

'Jullie moeten het zelf weten,' zei mama. En zo was het.

Mama vroeg of ik de matras wat naar het raam wilde trekken, dan kon de deur dicht.

Toen de deur dicht was keek ik naar de muur, naar Sitting Bull. Ik keek naar zijn veer, naar zijn wangen en, als laatste, naar zijn ogen. Ik zuchtte.

Of mensen eerlijk zijn kun je aan hun ogen zien. Dat zei mama altijd. Ik geloofde het wel, want als ik in de ogen van Sitting Bull keek dan wist ik dat gewoon. Terwijl het maar geschilderde ogen waren, geen echte. Dat hij veel indruk op de indianen om hem heen had gemaakt, was wel duidelijk.

'Pas je op dat je al het moois er niet af kijkt?' vroeg oma. Ze streek een haar uit haar gezicht.

'Ik kijk naar Sitting Bull, hoor.'

'Je opa keek altijd graag naar me.'

'Hij heeft hele mooie ogen.'

'Hoe weet jij dat?'

'Dat zie je toch zo?'

'Waar? Geert is toch niet hier?'

Toen begreep ik pas dat oma het over opa had en ik niet, en ik begon te lachen. En terwijl ik lachte werd ik steeds vrolijker.

Ik sliep weer in mijn eigen kamer. Kon weer altijd naar Sitting Bull kijken. Ik had het zomaar besloten, en het was een goed besluit.

Oma begon voorzichtig met me mee te lachen. Aan het einde van haar lach maakte ze een licht rochelend geluid. Dat maakte dat ik nog harder moest lachen.

'Ophouden nou hoor,' zei oma, 'ik pies bijna in mijn broek.'

Maar ik kon niet meer stoppen met lachen. Eigenlijk was mijn kamer nog leuker vanaf de grond. Hij leek groter, hoger.

Oma stond op en ging bijna op mijn hoofd staan. Mijn lachbui werd steeds groter, alsof ik de stop uit een enorme bak met water had gehaald: het bleef maar stromen.

Ondertussen trok oma aan de deur, die niet goed openging door mijn matras, en probeerde ze zich de gang in te persen.

'Ik moet echt nodig,' zei ze.

Ook al was ik helemaal slap van het lachen, ik hielp oma toch de gang op, want ik hoorde aan haar stem dat ze het meende.

Ze rende naar het toilet en ik hoorde haar plassen. Op school had ik daar een hekel aan, als je iemand zag of hoorde plassen. Ik probeerde zo veel mogelijk thuis naar de wc te gaan en de enkele keer dat ik echt op school moest, wachtte ik een rustig moment af. Net na de pauze, vlak voor de les weer begon.

Maar nu vond ik het plassen van oma helemaal niet naar om te horen. Ik wachtte achter de deur tot ze terugkwam. Mijn lachbui werd minder.

Toen we weer lagen, maar met het licht nog aan, stak mijn moeder haar hoofd om de deur. 'Nu gaan slapen, jullie!' Ze trok de deur harder dicht dan nodig was.

'Ik blijf liever wakker,' zei oma zacht toen mijn moeder al een tijdje weg was.

'Zijn je dromen zo eng?'

Oma keek me aan en zei niks. In haar grijze ogen zag ik het antwoord.

'Wat droom je dan?'

'Dat wil je niet weten.'

'Wel.'

'Niet.'

'Wel.'

'Niet, dan kan jij ook niet meer slapen.' Oma draaide zich om, met haar rug naar me toe.

Ik begreep het en deed het licht uit.

We lagen alle twee een hele tijd wakker in het donker.

Opeens hoorde ik een wat hardere, heel rustige ademhaling van oma.

Ik luisterde ernaar. Zorgde dat mijn ademhaling gelijk ging met de hare. Dat lukte.

Het klonk als een rustig concert. Langzaam zakte ik weg in een droom.

Later werd ik wakker.

'Nee, nee,' riep oma, 'niet doen, ga weg!'

Ik probeerde nog even om verder te slapen. Maar dat was hopeloos.

Daarom ging ik rechtop zitten en pakte oma's hand.

Ze sloeg er wild mee in mijn richting.

'Niet doen,' zei ik.

Oma zette nog meer kracht. Dus deed ik het licht aan en schudde haar wakker.

Ze keek me boos aan. 'Wat is er, Adriaan?'

'Valentijn,' zei ik, 'ik ben Valentijn.'

'Wat is er?'

'Je droomde naar, je sloeg me.'

Woensdag

16

'Zullen we voetballen?' Willie stond voor me met de bal en keek me smekend aan.

Ik schudde mijn hoofd, ik was moe. Al drie nachten sliep ik beroerd.

Met afhangende schouders liep hij weg. Alleen. Had hij maandag die spreekbeurt maar niet moeten houden. Dan was ik misschien toch wel met hem gaan voetballen, moe of niet. Met hem voetballen was eigenlijk niet zo vermoeiend.

Ik keek naar mijn schoenen en hoopte dat de pauze bijna afgelopen was, want ik moest nodig. Nu was het zeker druk in de toiletten. Sommige jongens zetten de kranen keihard aan en probeerden elkaar nat te spatten. Je schoenen waren zeker nat na een bezoek aan de toiletten.

'Hallo,' zei een stem naast me. Toen ik opkeek zag ik dat het Hazel was.

Meteen ging al het bloed dat in mijn hoofd zat naar mijn wangen.

Ik boog mijn hoofd en zei hallo terug.

'Je spreekbeurt gisteren,' zei Hazel, 'die vond ik echt leuk.'

'Dank je,' mompelde ik. Ik moest eigenlijk in haar ogen kijken om te zien of ze het meende.

'Je ligt toch een derde van je leven in bed.'

Ik probeerde uit alle macht niet te denken aan Hazel in bed, met haar nachtpon aan, haar haren vers geborsteld.

'Is de bel al gegaan?' vroeg ik.

'Nee hoor,' zei Hazel. 'Heb jij zin in het schoolreisje?'

Het zou toch fijn zijn als er een ontdekking werd gedaan waardoor het mogelijk was om een keer of drie per maand een situatie over te slaan en dat de ander daar niks van merkte. Dat die scène uit het hoofd van de ander werd gewist.

Dat was zo'n moment. Ik wist nu echt niet wat ik moest zeggen. 'Weet je zeker dat de bel nog niet is gegaan?'

Hazel haalde haar schouders op.

'Ik moet naar binnen,' zei ik en deed het. Om daar iets te doen te hebben, ging ik het toilet maar in. Het luchtte toch op.

Meester Job begon weer over de schoolreis. Hij projecteerde de plattegrond van het park op het digitale bord. 'Kijk, daar is de grootste achtbaan,' zei hij. Ik voelde mijn maag.

'Daar zal wel een lange rij staan, die doen we meteen als we binnen zijn.' Hij liep daarna alle andere achtbanen af. Vertelde over hoogte, snelheid, de lengte van de rit.

'Nog twee nachten slapen,' zei meester Job.

De klas begon weer te joelen.

'Maar we hebben nog steeds te weinig begeleiders,' ging de meester verder. 'Ik weet best dat veel ouders werken, maar we moeten voldoende begeleiding hebben om het veilig te laten verlopen. Jullie moeten allemaal veilig thuiskomen, nietwaar? Dus vraag het nog een keer thuis.'

Ik wist al wat mijn vader zou zeggen. Altijd als de

school om hulp vroeg zei hij hetzelfde, al heel veel jaren. 'Ik vraag toch ook niet of ze mij bij mijn werk willen helpen?' Mijn moeder vond dat onzin: hij hoefde niet op drieëndertig kinderen te passen. Maar ook zij kon niet vaak mee. 'Mijn baas ziet me aankomen, vooral op vrijdag, dan zijn er al zo weinig mensen.'

Toch zou ik het vanavond wel vragen, want als er iets was wat ik zeker wilde dan was het veilig thuiskomen.

'Hier zijn de cijfers van de spellingtoets van maandag,' zei meester Job. 'De hoogste cijfers liggen boven- en de laagste onderop.'

Hij liep naar me toe. 'Valentijn, je hebt een tien, goed gedaan!'

Ik pakte het blaadje aan. Vandaag was een topdag. Ik kon met een tien naar huis.

Meester Job liep naar Hazel. 'Hazel, jij hebt ook een tien, goed gedaan!'

Ik keek naar haar en zij keek naar mij. Haar ogen waren bruin, donkerbruin zag ik. Verder dacht ik veel en weinig tegelijk.

Meester Job deelde blaadje na blaadje uit.

'Dit is de laatste zes,' zei hij na een tijdje. 'Iedereen die nu z'n blaadje nog terugkrijgt heeft geen voldoende.'

Willie stond opeens op. Zijn stoel viel met een luide smak op de grond. 'Dat ben ik dus weer!' Hij veegde met een woeste beweging al zijn spullen van zijn tafel.

'Er zijn er meer,' zei meester Job sussend, 'je bent niet de enige.'

'Nee,' zei Willie, 'maar ik zit er wel altijd bij, als enige. Altijd heb ik een onvoldoende.'

'Voor je spreekbeurt heb ik je geen onvoldoende gegeven,' zei meester Job. Dat was waar.

'Nee,' zei Willie, 'maar die had ik wel moeten krijgen.'

Hij liep naar de voorkant van de klas. Keek de kinderen uit de groep aan. 'Ik ben nergens goed in!' schreeuwde hij. Hij deed de deur van het lokaal open, stapte de gang op en sloeg de deur achter zich dicht. Op de gang schreeuwde hij: 'Ik ben een sukkel! Een enorme vette sukkel!'

Meester Job ging hem niet meteen achterna.

Misschien had ik toch een potje met hem moeten voetballen.

Iedereen liep de klas uit. De bel was gegaan, de schooldag zat erop. Ieder moment zou meester Job zijn Nederlandstalige muziek weer opzetten. Keihard. Maar hij bleef nog even op zijn tafel zitten en keek naar mij.

'Valentijn,' zei hij, 'wacht je even?'

Wou hij me een preek geven over hoe ik met Willie was omgegaan? Had hij gezien dat ik niet met hem wilde voetballen vandaag? Was hij nog boos over hoe ik me had opgesteld toen Willie zijn spreekbeurt hield?

Toen de klas leeg was, kwam de meester meteen ter zake. 'Je ziet op tegen het schoolreisje, hè?'

Ik knikte.

'Niet bang zijn,' zei hij. 'Je zult zien dat het leuk wordt.'

Ik knikte.

'Mag ik je een tip geven?'

Ik knikte weer.

'Laat het over je heen komen. Je denkt er te veel aan, en je gedachten maken je bang.'

Toen ik buiten kwam, stond Willie op het schoolplein.

'Hallo,' zei ik en dacht aan zijn uitbarsting.

'Zullen we...' begon hij en ik knikte al.

Hij rende weg en kwam terug met de bal. We renden er een tijdje achteraan. Speelden wat over. Deden een paar trucjes, die meestal misliepen.

Willie trapte de bal naar mij. Maar in plaats van naar mij te schieten, schoot hij naar het speelhuisje van de kleuters. Ik rende erachteraan en pakte de bal, die tegen het huisje tot stilstand was gekomen. De tegel waar ik op stond wipte omhoog. Meteen schoot er een idee mijn hoofd in. Ik liep naar binnen.

'Hé, wat ga je doen?' riep Willie.

Ik gaf geen antwoord, maar liep door, door de gangen, naar de klas, hoorde de harde muziek van de meester. Een mannenstem zong 'jij gelooft in mij', en ik pakte mijn schooltas.

Tilde de losse bodem op en had de brief in mijn hand die ervoor zou moeten zorgen dat oma wegging.

Mijn handen trilden, zag ik. Het was een ingeving.

Maar ik wist het ook zeker. Ik ging de brief nooit op de post doen. En weggooien kon ik niet. Toch moest de brief weg zijn voor mijn moeder 'm vond in mijn tas.

Snel rende ik met de brief naar beneden, waar Willie tegen het huisje aan geleund stond te wachten. Ik tilde de steen op, groef wat aarde los, legde de brief neer, schoof er wat aarde overheen en legde toen de steen er weer bovenop.

'Wat is dat? Wat doe je?'

Het was echt iets voor indianen om dingen te begraven. Die deden dat al vele eeuwen. Zo gek was het niet.

Ik legde mijn vinger op mijn lippen en zei: 'Ssst.'
Daarna gaf ik de bal een enorme trap en we renden er
samen achteraan.

17

Thuis rende ik meteen mijn neus achterna de keuken in.
Ik zag een pan opstaan, tilde de deksel op en bekeek de
zwartgeblakerde bodem, waarop een stel zwarte aardappelen lagen. Draaide het gas uit. Deed een raam open in
de keuken en ging op zoek naar oma.

'Oma?'

Ze was niet in de woonkamer. Ik liep door naar onze
kamer. Ook daar was ze niet. Vanzelf trok ik de wc-deur
open, ook daar was ze niet. Maar het water liep nog door,
dus ze kwam er net vanaf.

'Oma?'

'Ik ben hier,' riep oma en ik deed de deur open van de
slaapkamer van mijn ouders, die gelukkig nu weer van hen
samen was.

Oma keek in de kasten.

'Wat doe je?'

'Ik zoek iets.' Oma trok de ene na de andere deur open,
keek in laatjes en onder het bed. Het zag eruit alsof ze dat
rondje al vaker had gemaakt.

'Wat zoek je?'

Oma stopte met zoeken en keek me aan. 'Nu weet ik
het niet meer.'

'Zullen we wat gaan drinken?'

Ze knikte en liep met me mee.

Mijn moeder zou nu heel lang gaan preken over het gas en de aardappelen en gevaar. Ik schonk twee grote glazen water in. 'Ging je koken?' Mijn hoofd wees in de richting van de pan.

'Ja,' zei oma, 'maar het ruikt niet goed.'

'We moeten het even opruimen voor mijn moeder thuiskomt,' zei ik, 'die houdt hier niet van.'

Ik pakte een lepel en bikte de zwarte aardappelresten uit de pan.

'Ben je niet boos? Adriaan is altijd boos.'

Ik schudde mijn hoofd.

'Soda,' zei oma, 'dan is het zo weg.'

We vonden de soda en gooiden die in de pan, met een plens water. Oma leunde daarna wel erg ver uit het keukenraam en ik trok aan haar jurk. 'Niet doen, straks val je.'

'Je bent lief,' zei ze.

Ik dacht aan Willie en dat ik tegen hem zei dat ik niet wilde voetballen.

Oma nam een voorzichtige slok water, en ik ook.

'Zullen we de bal weer verstoppen?'

Oma knikte.

'Dan nemen we het hele huis als verstopplek,' zei ik. 'Ga jij maar op de overloop staan, dan zoek ik een goede plek.'

Ik legde de bal onder in de sokkenmand van mijn vader en haalde oma op.

Ze liep aarzelend de woonkamer in.

'Koud,' zei ik.

Meteen liep ze terug naar de gang. Ze liep de keuken in. Weer zei ik dat ze koud was.

Daarna liep ze naar onze slaapkamer en klom over de matras op het bed.

'Koud,' zei ik.

Ze bleef gewoon zitten en gaapte. 'Ik ben moe.'

Meteen moest ik ook gapen. 'Ik ook. Ontzettend moe zelfs.'

'Ik kan je vertrouwen, hè?' Oma keek me aan met haar grijze ogen. Er lagen rode adertjes op het geelwit van haar ogen.

Wat kon ik anders zeggen dan dat ik te vertrouwen was? Maar dat was maar hoe je het bekeek. Als mama haar blauwe konijn zou missen en me vroeg waar het was, dan zou ik mijn schouders ophalen. Ik wilde mezelf en oma niet verraden. Maar dan loog ik wel.

'Ik slaap slecht,' zei oma.

'Dat weet ik.'

'Ik heb nachtmerries.'

'Dat weet ik ook al.'

'Ze gaan over...'

Ik ging wat meer rechtop staan.

'Ze gaan over... vroeger, toen ik nog op school zat. Er was een meisje, Antje, ze leek heel aardig, maar dat was ze niet. Ze had veel vriendinnen. Ik niet. Na school... volgden ze me vaak naar huis. Dat groepje meiden. Ze trokken aan m'n haar, pakten m'n tas af, ze gooiden soms met stenen, ze scholden en duwden en dan viel ik. Ik ging elke dag met pijn in mijn buik naar school. Elke dag.'

Oma begon heel zacht te huilen, hoog piepend, als een muis waar iemand op staat en die langzaam het hele gewicht te dragen krijgt.

'Het is lang geleden gebeurd,' zei ik, 'het is nu niet meer zo. Het is voorbij.'

'Niet,' zei oma fel, 'elke nacht is het er echt. Elke nacht staat ze voor mijn neus, ik ruik haar adem, voel dat ze me wil grijpen en dan ga ik vanzelf rennen. Uitgeput raak ik ervan. Dan vergeet ik nog meer. Ik ben zo moe-oe.'

Ze ging nu harder huilen. Ik ging naast haar zitten en sloeg mijn arm om haar heen. Ze ging nog iets harder huilen. Zelf vond ik het altijd goed om even uit te huilen. Soms gingen mensen te snel troosten. Ik wachtte.

De voordeur ging open en mijn moeder liep op haar hakken de gang in. Ze kwam naar mijn kamer toe, waarschijnlijk op het geluid af, en zag ons zitten. Haar ogen werden groot. Ze snoof, liep naar de keuken en kwam bij ons terug. Haar hakken tikten bozig.

'Dat heb jij zeker gedaan,' vroeg ze aan oma, 'het hele huis bijna in brand gestoken?'

Oma keek haar met dikke ogen aan en snoof, ze hield niet op met huilen.

'Ik hoop dat we snel antwoord krijgen op ons verzoek bij 't Hooge Veld, je moet hier weg,' zei mijn moeder. 'Dit is echt een noodgeval. Je begrijpt toch zelf ook wel dat je veel meer begeleiding nodig hebt dan wij je kunnen bieden? Ad is gewoon te aardig.'

Oma zei niks.

'Weet je,' zei mama iets zachter en ze deed een stap naar voren langs de matras en greep de hand van oma, 'we houden natuurlijk van je, je kan er niks aan doen, maar je kan hier niet blijven, dat is duidelijk. Maar we komen je daar heel vaak opzoeken.'

75

Oma moest helemaal niet naar een tehuis. Daar zouden ze ook niet goed op haar kunnen letten, want oma kon heel snel zijn en ze waren er vast ook niet aardig – er werkten waarschijnlijk mensen die niet van ouderen hielden, die ze expres knepen. Daar werd oma boos over en dan stak ze dat hele tehuis in brand. Gelukkig had ik de brief weggewerkt.

18

We aten die avond gebakken aardappelen met warme brie en paprikareepjes. Mijn moeder had geen zin om boodschappen te doen, na wat ze 'al dat gedoe' noemde met die aangebrande aardappelen. En dit was wat we in huis hadden.

Het smaakte eigenlijk best goed.

Oma at meteen de warme brie op. Er bleef een sliertje op haar kin plakken.

Mijn vader was in een uitstekend humeur, waar hij ook door mijn moeder niet vanaf te brengen was. Ook niet na al haar geklaag over brandgevaar. Hij prikte met plezier een reepje gele paprika op zijn vork, en daarna een reepje groene en daarna de rode.

Oma nam een enorme hap en verslikte zich. Ze hoestte, werd langzaam rood, roder. Mijn vader stond op en klopte op haar rug. Ze bleef hoesten en was inmiddels knalrood. Mijn vader ramde nu op haar rug en zei: 'Spuug uit, gewoon alles uitspugen, mam.'

Oma deed haar mond open en spuugde de hap die in haar mond zat op haar bord. Ik probeerde niet te kijken, maar ik keek toch en zag een misselijkmakend glibberig half gekauwd stuk aardappel liggen met stukjes groen en rood erdoor.

Ik schoof mijn bord van me af.

Oma haalde piepend adem.

'Goed zo,' zei mijn vader, 'rustig maar, het gaat alweer.'

Oma's ademhaling werd iets rustiger en haar kleur weer wat normaler.

Mijn moeder had haar bord inmiddels ook van zich af geschoven. 'Wat een dag!'

Niemand nam nog een hap. We zaten met z'n vieren om de tafel en wachtten op nieuwe gebeurtenissen.

'Je mag afruimen,' zei mijn moeder na een tijdje. 'Iedereen is klaar met eten.'

Ik stond op, pakte het bord van mijn vader op en daarna dat van mijn moeder en liep naar de keuken. Daar schraapte ik de etensresten in de afvalbak. Daarna pakte ik mijn bord en deed hetzelfde. Als laatste pakte ik het bord van oma, met mijn hand zo ver mogelijk bij de uit-gespuugde hap vandaan. Met een opscheplepel veegde ik zonder te kijken alles van haar bord. Mijn maag protes-teerde.

Ik probeerde aan iets anders te denken, en dat lukte. Even zag ik Hazel naast me staan in de pauze en toen dacht ik aan Willie en zijn uitbarsting en toen aan mijn cijfer. Ik liep naar mijn schooltas en trok mijn blaadje eruit.

'Kijk,' zei ik en liet mijn vader mijn spellingtoets zien.

'Een tien,' zei hij. Hij keek heel blij. Daarna fronste hij zijn wenkbrauwen. Ik dacht dat hij een foutje had ont-dekt. Hij tikte tegen het papier. 'Schrijf je met potlood?'

Ik knikte. 'Dat mag van meester Job als we een spelling-toets hebben. Als je dan een foutje hebt gemaakt, kan je het makkelijk uitgummen.'

'Je hebt maar geluk met meester Job. Zulke dingen mochten wij vroeger niet hoor, fout was fout.'

'Fout was fout,' herhaalde oma. 'Je kreeg een klap met de liniaal als je te veel vlekken had gemaakt met de inkt. En als je veel vlekken had kreeg je ook een onvoldoende, ook al had je alle woorden goed gespeld.'

'Maar dat is oneerlijk,' zei ik.

'Alles was oneerlijk,' zei oma, 'Antje was de dochter van de bovenmeester. Zij knoeide altijd heel erg, maar kreeg toch een voldoende.'

'Dus wees maar blij met je meester en met je gum,' zei mijn vader, 'want nu heb je een tien!'

'Ik vind gummen goed!' zei oma.

'Fijn!' zei mijn moeder. 'Goed gedaan, liefje! Ik ben trots op je.'

'Ik vind gummen goed!' zei oma weer.

'Mooi, moeder,' zei mijn moeder.

'Nee, echt,' zei oma, 'als je mag gummen, dan kun je je fouten verbeteren, niemand hoeft ze zelfs te zien. Dat is toch beter dan goed, zelfs beter dan geweldig! Wat is ei-genlijk het woord voor beter dan geweldig?'

'Ik had vandaag niet durven dromen dat ik een kwartier over gummen zou moeten praten.' Mijn moeder keek naar mijn vader.

'Het is genoeg, moeder,' zei hij meteen tegen oma.

'Maar...' zei oma.

'Genoeg is genoeg,' zei mijn vader. Zijn vrolijkheid was wat gezakt.

Hij stond op en haalde iets uit de gangkast. Het zag eruit alsof het zwaar was. 'Je wilt dit al een hele tijd hebben,' zei hij.

Hij trok het de kamer in en ik zag meteen wat het was. Oma niet. Zij liep op het grote pak af en haalde het plastic eraf. 'Wat is het, Adriaan?'

'Jaaa...' zei papa en gaf mij een knipoog.

'Het lijkt wel een grote paraplu,' zei mama.

Oma trok aan de stof, aan een van de drie palen. De stof was niet kinderachtig, zag ik. Hij was natuurlijk niet gemaakt van gelooide bizonhuiden, maar ze hadden een stof gekozen die er goed op leek.

'Wat is het?' vroeg oma.

'Een tipi,' zei ik, 'en hij is mooi.'

Ik stapte naar voren en duwde de palen van de tipi uit elkaar, zodat de eivorm zichtbaar werd en de opening.

De palen waren van hout en roken lekker. Een jaar geleden had je me niet blijer kunnen maken met dit cadeau. Maar nu voelde ik me er eerlijk gezegd wat te groot voor. Al bleef het prachtig.

Papa keek me aan. Glunderend. 'En?'

'Ja,' zei ik zo enthousiast mogelijk, 'mooi.'

'In de winkel mocht ik erin zitten,' zei hij, 'en het was heel bijzonder, want je voelt je anders als je erin zit, echt, er gebeurt wat met je.'

Mama tikte speels tegen zijn hoofd. 'Met jou gebeurt altijd van alles!'

Oma kroop door de opening naar binnen en maakte een enthousiast geluid. Ik ging ook naar binnen en ging naast haar zitten. Het paste. Van buiten leek de tipi kleiner dan hij vanbinnen was. Door de kleur van het doek was er een prettige sfeer binnen. Alles rook nieuw. Ik wist niet of het door de woorden van mijn vader kwam, maar ook ik voelde me anders dan anders in de tipi.

'Ga jij er ook eens in,' zei mijn vader tegen mijn moeder, 'gezellig.'

'Ik niet,' zei mijn moeder, 'veel te krap. En stel je voor dat ik me anders dan anders voel... dan komt er van al het werk dat ik vanavond moet doen niks meer.'

Mijn vader duwde nog een cadeau door de opening. 'Misschien een beetje kinderachtig, maar ik kon het niet laten liggen.'

Oma scheurde het papier er meteen af en er kwamen twee tooien uit met veren erop. Oma zette er een op haar hoofd en gaf de andere aan mij. Ik aarzelde. Maar mijn vader bedoelde het goed.

Hij trok de flap voor de opening opzij en keek naar ons. Hij glimlachte breed. 'Jullie zijn net echte indianen, serieus,' zei hij. 'Van welke stam zijn jullie?'

'Gewoon onze eigen stam,' zei oma meteen, en daarna zei ze luid en duidelijk: 'Ugh.'

19

Oma en ik zaten aan tafel en speelden 'schaar, papier, steen'. De tipi hadden we in onze kamer gezet.

'Bedtijd,' zei mijn moeder. 'En Valentijn, ik wil je nog even spreken.'

Ik keek haar afwachtend aan.

'Alleen.'

Ik stond op en liep achter haar aan naar de slaapkamer van papa en mama. Ze ging op haar bed zitten en klopte erop om aan te geven dat ik naast haar moest komen zitten.

'Weet je zeker dat je samen met oma op die kamer wilt slapen?'

Ik knikte.

'Want ik wil niet dat je het doet omdat papa het prettig vindt,' zei ze. 'Oma is toch... in de war... en je moet een kleine ruimte met haar delen.'

Dat was ook zo. De tipi paste niet zomaar in onze slaapkamer. Mijn matras moest niet naast, maar dwars op mijn bed worden gelegd. Ik sliep nu met mijn benen onder het bed waar oma in lag. Dan was er precies genoeg plaats voor de tipi. Dat had mijn vader zo opgelost.

'Ik wil het,' zei ik. Mama wilde me omhelzen, bedacht zich halverwege de beweging en zat weer stil naast me. Ze wilde nog meer zeggen, dus bleef ik zitten.

Ze kuchte. 'Oma gaat snel naar Huize 't Hooge Veld, en dan zijn we weer lekker met z'n drieën. En wij met z'n tweeën, na school als papa nog op zijn werk is. Dan kunnen we weer lekker samen theedrinken en koken en praten. Gezellig. Je zult zien, voor je het weet is het weer net als vroeger.'

Dit was niet het moment om te zeggen dat ik het ook gezellig vond met oma. Of wel?

'Dan krijg je weer je eigen bed terug, je eigen kamer. Soms denk ik dat ik strenger had moeten zijn tegen je vader. Had moeten zeggen dat het niet kon, zijn moeder in huis opnemen. We hebben er gewoon geen plaats voor.'

Ze dacht waarschijnlijk nog een heleboel dingen, want ze zei een tijdje niks. Uiteindelijk zuchtte ze en stond op. 'Geniet maar lekker van je tipi. Je verdient hem.'

'Welterusten, oma,' zei ik. Ik lag lekker warm in bed en voelde mijn lichaam al zwaar worden. Het werd tijd voor een goede nacht slaap.

'Ja,' zei oma, 'dat hoop ik dan maar.'

'Droom je elke nacht over…?'

'Elke nacht.'

Ik dacht aan de schoolreis. Die dag kwam straks gewoon, overmorgen al, dan moesten we naar het pretpark. Ik ook. Ook al wilde ik niet. Ik draaide me op mijn zij, weer klaarwakker.

'Kan je het niet tegenhouden?'

'Nee,' zei oma, 'het gebeurt gewoon. Opeens zit ik er middenin. Dan gooien ze met stenen. En ik maar rennen. Gillen. Heel vervelend.'

Ik zag gillende kinderen, met hun haar strak naar achteren, hun mond wijd open, ze raasden van een hoogte af.

'Heel vervelend,' zei ik. Mijn hart bonkte.

'Daarom probeer ik wakker te blijven,' zei oma, 'maar dat lukt niet.'

Meester Job zei dat ik niet bang moest zijn, en dat lukte ook niet.

'Zullen we het licht weer aandoen en samen naar Sitting Bull kijken?' vroeg ik.

Oma deed als antwoord het licht aan.

We keken samen in de ogen van de oude indiaan. We waren lang stil. In de woonkamer hoorde ik het geluid van de televisie. Mijn moeders hakken. Mijn vader lachte om iets. Heel kort, een donker en laag geluid, als een motor die even start en dan afslaat.

'Mooi,' zei oma.

'Ik word er altijd rustig van,' zei ik.

'Dat niet,' zei oma, 'maar zijn ogen zijn erg mooi om naar te kijken.'

Mijn moeder deed de deur een stukje open. 'Valentijn, je moet echt gaan slapen,' zei ze. 'Je moet morgen vroeg op. Ik wil jullie nu niet meer horen en het licht gaat nu uit.'

Het was donker en stil in de slaapkamer toen de deur weer dicht was.

Oma zuchtte, hoestte en draaide. Ik zuchtte alleen. Het zou al snel morgen zijn en de dag daarna was de schoolreis al. Het mocht allemaal best wat langzamer van mij.

'Als je ergens tegen opziet,' vroeg ik, 'wat moet je dan doen?'

'Ik weet het niet,' zei oma.

Na een hele tijd hoorde ik haar zwaar ademen. Ze was op weg naar vroeger, naar haar oude buurt, haar vriendinnen die geen vriendinnen waren. Ze was alleen, stond er alleen voor.

Ik dacht aan meester Job. Aan ons gesprek. Hij had vast gelijk. Maar hoe kon je je gedachten stoppen? Die draafden gewoon door. Ik dacht aan zijn verzoek om ouders mee te vragen. Dat was ik vergeten. Ik vergat de laatste tijd veel, zou oma mij echt hebben aangestoken?

Misschien dacht ik er morgenochtend aan, dat was nog net op tijd. Ik concentreerde me op het moment dat ik ging opstaan, zag voor me hoe ik me uitrekte, dan zacht mijn deur opendeed, naar de wc ging, de badkamer in liep en me waste. Aangekleed en wel at ik mijn warme pap en pakte mijn brood in. Dan, met de deurknop in mijn hand, zou ik het me herinneren. Niet weglopen zonder een vraag te stellen, dat zou er door me heen schieten. Dan zou ik het vragen. Afgesproken.

Tevreden sloot ik mijn ogen.

Maar niet voor lang.

Ik moest even in slaap zijn gevallen, want ik werd wakker en moest ontzettend nodig plassen.

Oma sliep heel diep, ze haalde langzaam en luidruchtig adem. Heel voorzichtig krabbelde ik overeind en deed de deur open.

In de gang viel er een zee van licht over me heen. Ik rende naar het toilet en kwam er even later opgelucht weer uit. Toen hoorde ik ze. Papa en mama. Ze hadden mij niet gehoord, ze dachten dat oma en ik sliepen, daarom was de deur van de kamer niet dicht en kon ik alles goed horen.

'Ik ben het met je eens,' zei papa, 'ze moet echt zo snel mogelijk weg hier. Nu zie ik het ook. Sorry dat ik dat allemaal heb veroorzaakt.'

'Eindelijk,' zei mama. 'Het hele huis had wel kunnen afbranden.'

'Of nog erger.'

'Je bedoelt, zijzelf?'

'Of Valentijn.'

Hoorde ik goed dat er gesnik uit de kamer kwam? Ik wilde graag wat dichterbij komen om iets te zien, maar dat durfde ik niet.

'Ik heb gewoon te snel beslist dat we haar zelf wel konden opvangen. Sorry schat, echt.'

Weer hoorde ik snikken. Iemand snoot zijn neus.

'Ik stond daar in dat Huize 't Hooge Veld, keek naar al die lange gangen en...'

Er viel iets. Ik schrok en was in twee grote stappen in mijn kamer, met de deur dicht.

Snel schoot ik mijn bed in en langzaam voelde ik hoe mijn hart rustiger werd, kalmer ging kloppen. Maar mijn hoofd maakte nog overuren. Dus papa vond ook dat oma naar dat tehuis moest.

20

'Nee, nee,' zei iemand in mijn droom. Ik droomde dat Hazel naast me stond en dat ik net een leuk grapje had gemaakt. Ze lachte.

'Niet doen,' zei iemand door mijn droom heen. Ik deed mijn ogen een beetje open en meteen weer dicht, want Hazel lachte zo leuk en het was om iets wat ik had gezegd. Maar nergens achter mijn gesloten ogen kon ik haar nog vinden.

'Nee!' krijste oma inmiddels en ik deed het licht aan; ik had geen zin in weer een klap.

'Oma, wakker worden, je droomt.'

Ze deed haar ogen open en keek me aan. Grijze, angstige, wijd open ogen. Ik pakte haar hand. 'Het is goed, oma,' zei ik, 'ze zijn weg, je bent wakker.'

Met spijt dacht ik nog een keer aan Hazel.

Oma ging rechtop zitten en keek de kamer rond. Haar ogen bleven op de tipi rusten. Ze kroop uit bed en ging erin zitten.

Ik bleef op mijn matras liggen: ik moest zien nog wat te

slapen. Alle nachten van deze week waren al gebroken geweest, en zo voelde ik me dus ook. Nog een paar uur, dan moest ik al opstaan en naar school.

'Kom je?' vroeg oma. Zuchtend stond ik op en kroop naast haar in de tipi.

De maan scheen door een kier tussen de gordijnen. Daardoor werd een stukje van de tipi verlicht.

Oma haalde heel snel adem. 'Ik ga echt nooit meer slapen,' zei ze. 'Nu waren ze met nog meer meisjes. Ze hadden lange dunne takken van bomen afgebroken en die gebruikten ze als... als een...'

De woorden die moesten volgen waren te zwaar om uit te spreken voor haar. Ze maakte alleen nog een gebaar.

'Zweep?'

Oma knikte. 'Ik ga echt niet meer slapen.'

We zaten daar een tijdje, samen in het donker in de tipi. Ik werd er heel rustig van en ik voelde ook hoe moe ik was. Natuurlijk wilde oma niet meer gaan slapen. Maar ik moest wel nog wat slapen. En snel.

In de tipi voelde ik me ook nu weer anders dan normaal. Er schoten wat losse gedachten door mijn hoofd. Hazel. Een paard. De ogen van Sitting Bull. Meester Job. Mijn praatje voor de klas.

Oma haalde de tooien met veren tevoorschijn en zette er een op haar hoofd en drukte de andere op mijn hoofd.

Daar zaten we dan. Midden in de nacht. We zaten, we zaten net als indianen te zitten en verder niks.

Ik gaapte. 'We zijn een dromersgenootschap.' Zelfs in het donker zag ik dat oma me niet begreep. 'Nou, wij zijn dromers,' zei ik. 'Weet je wel, mijn praatje?'

Ik wilde terug naar bed. Ik rilde. 'We kunnen elkaars dromen uitleggen. Je hebt alleen een visioen nodig: in een visioen wordt je verteld wat je moet doen.'

'Hoe kan je zo'n visioen krijgen?'

Ik had het al een keer aan haar verteld en ook aan de klas tijdens mijn praatje. 'Niet eten, bidden en een pijp roken, weet je nog?'

'Kun jij dat ook? Nu? Zeggen wat ik moet doen met die droom?'

'Ik weet het niet.' Maar ik wist het wel. Ik had gegeten en geen pijp bij de hand. Het zou niet lukken.

Toch deed ik mijn ogen dicht, dat was in ieder geval prettig. Toen zag ik sterren, allemaal puntjes die oplichtten. Het was een mooi gezicht. Ik gaapte en kruiste mijn benen.

'En?'

'Ssst.'

Waarschijnlijk viel ik zittend in slaap, want opeens duwde oma tegen mijn schouder. 'En?'

'Mmm,' zei ik om wat tijd te rekken. Het zou leuk zijn geweest als ik een visioen had gekregen. Dan had ik oma kunnen helpen, echt kunnen helpen. Maar ik zag alleen eindeloze stipjes.

'Wat zie je?'

Ik deed mijn ogen open en zag mijn oma's lieve hoofd in het donker.

'Weet je, oma,' zei ik, 'we horen bij elkaar, net als de indianen. We zijn een stam.'

'En?'

'Je bent dus niet alleen.'

Oma maakte een instemmend geluid. 'Dat was ik eerst wel,' zei ze heel zacht, 'in dat andere huis.'

'Verder moeten we het nu laten rusten,' zei ik. 'We moeten gaan slapen en krachten opdoen voor morgen, dan gaan we ermee verder.' Misschien zou ik dan meer zien dan vandaag.

'Goed,' zei oma. Ze kroop de tipi uit en ging in bed liggen, en ik deed hetzelfde.

Vlak voor ze in slaap viel zei ze: 'dank je.'

Ik had geen kracht meer om 'geen dank' te zeggen.

Donderdag

21

'Eruit komen!' riep mijn moeder. 'We hebben ons vreselijk verslapen!'

Voorzichtig deed ik mijn ogen open. Mama trok mijn dekbed van mij af en ik voelde de koude lucht op mijn blote benen en armen.

'Vannacht is de stroom uitgevallen, dus al onze wekkers deden het niet. Je moet over vijf minuten weg.'

Oma opende een oog en draaide zich weer om. Zij wel.

Ik sprong op en liep naar de wc. Toen ik eruit kwam had mama wat kleren in de gang klaargelegd, die ik gewoon maar aantrok.

'Even je tanden poetsen en een plens water op je gezicht en handen,' zei ze.

Ze stond al naast de voordeur met mijn schooltas en met een boterham in een servetje in haar hand. 'Nog twee minuten.'

Ik liep de badkamer in en liet het koude water over mijn handen stromen.

Daarna maakte ik een kommetje van mijn handen, liet het vollopen met koud water en telde tot drie voor ik het in mijn gezicht plensde. Het was naar en lekker tegelijk.

Ik liep de gang in, pakte mijn tas aan en de boterham en gaf mama een zoen, waar ze zichtbaar blij mee was. 'Tot vanmiddag!' zei ze.

Buiten begon ik als vanzelf te rennen.

Pas toen ik precies op tijd de klas in liep, herinnerde ik me dat ik had vergeten om te vragen of mijn moeder mee wilde op schoolreis. Te laat. Vanmiddag kon ze het zeker niet meer regelen.

Meester Job begon de dag vrolijk, zoals altijd. 'Nog één nachtje slapen!' schreeuwde hij.

De hele klas joelde.

'Het is eigenlijk een verrassing, maar...' Hij hield zijn mond en keek de klas rond. 'Nee,' zei hij, 'ik moet het geheim houden, anders is het geen verrassing meer.'

'Verras de klas,' zei Hazel.

'Precies,' zei meester Job, 'morgen dus.'

'Nee, vandaag!' zei Hazel en ze keek hem lief aan.

'Niet zo kijken, Hazel,' zei hij. 'Je kent het effect van je blik niet.'

Ik wel.

Hazel bleef hem aankijken. 'Verras de klas, nu,' zei Hazel.

Meester Job aarzelde, toen knikte hij. 'Het schoolreisje van vorig jaar was wat goedkoper dan we dachten,' zei hij, 'we hadden wat geld over en daarom kunnen we dit jaar...' De klas was heel stil. 'Daarom kunnen we dit jaar... voor iedereen patat kopen.'

Iedereen gilde door elkaar. Ze kregen altijd al ijs op schoolreis, en nu dus ook nog patat!

Meester Job legde zijn vinger op zijn lippen. 'Maar sssst, aan niemand vertellen, jongens,' zei hij, 'want het is een verrassing.'

Daarna werd hij serieus en zette het digibord aan om het werk van de dag op een rijtje te zetten.

In de pauze voetbalden Willie en ik, alsof we nooit anders gedaan hadden.

22

'Oma?'

Ik rende iets sneller het huis door. Ze was er niet. Of ik zag haar niet.

'Waar ben je?'

Weer keek ik onder mijn bed, in de kast, in de wc, in de woonkamer, onder de eettafel, in de keuken en nergens zag ik een grijze jurk.

'Je moet het nu zeggen,' zei ik na een tijdje zoeken, 'het is niet leuk meer.'

Ik stond in de gang en wachtte, scherp luisterend of ik iets hoorde. Het hele huis was stil.

'Als het een spel is...' zei ik, 'jij hebt gewonnen.'

Ik keek in de kast van mijn ouders, die diep was, maar ik zag alleen jurken, overhemden en jasjes en rook de zoete parfum van mijn moeder.

'Ik tel nu tot drie,' zei ik, 'dan kom je tevoorschijn. Als je niet komt en wel in huis bent, dan... echt, ik doe iets ergs.'

Er waren eigenlijk geen plekken meer in huis waar ze kon zijn. Ik had overal goed gekeken.

'Een.'

Meer dan één keer trouwens. Toen ik thuiskwam zat ik nog met meester Job in mijn hoofd. Er waren te weinig volwassenen voor morgen. We gingen wel, maar het was minder veilig dan ze wilden. Of iedereen nog een keer

thuis wilde vragen of de ouders erover na wilden denken.

'Twee.'

Al snel had ik door dat oma er niet was. In het begin
was ik nog best rustig. Ze maakte een grapje, ik vond haar
zo. Maar toen de tijd voorbijging en ik overal echt goed
gekeken had, begon ik me zorgen te maken. Stel je voor
dat oma niet in huis was? Dan was ze dus buiten.

'Drie.'

Ik keek om me heen en zag niets, zag niemand. Mijn
hart klopte al erg, maar nu begon het nog harder te slaan.
Oma was naar buiten gegaan. Ik liep naar de kapstok en
zag dat haar jas weg was. Nu wist ik het zeker.

Snel trok ik de mijne aan en ik gleed zo snel ik kon via
de trapleuning naar beneden.

Waar was ze? Misschien was ze wel vergeten wat ons
adres was. Dan stond ze nu ergens, helemaal in de war.
Mensen liepen haar voorbij en dachten: wat moet dat
oude mens daar? Of misschien had ze niet uitgekeken en
was ze onder een auto gekomen, omdat ze gewoon zomaar de weg op liep. Toen de ambulance kwam vroegen
ze haar wie ze was, maar ze zei alleen maar: 'Adriaan.' En
daarna viel ze flauw.

'Oma!' schreeuwde ik in het portiek . En toen hoorde ik
iemand terugroepen.

Het kwam van binnen. Een zwak 'hallo?'

'Oma!'

Ik rende van beneden naar de eerste verdieping en weer
terug; ergens daar hoorde ik haar. Was ze op visite gegaan
bij de buurvrouw van één hoog?

Dat was geen aardige vrouw: ze deed nooit mee met ei-
eren verstoppen in het portiek met Pasen, ze gaf nooit wat
als ik op elf november met mijn lampion bij haar deur
kwam. Als oma bij haar had aangebeld, had ze vast niet
opengedaan.

'Oma!'

'Hallo?'

'Oma, waar ben je?'

'Ik zit hier.'

'Waar?'

Ik bleef maar heen en weer lopen van de eerste verdieping
naar beneden en weer terug, als een rat in een tredmolen.

'Het is zo donker.'

En toen wist ik het. Ik rende naar twee hoog en pakte
de reservesleutel van de haak. Roetsjte helemaal naar beneden langs de trapleuning en deed de deur die achter haar
dichtgevallen moest zijn, open. Het was stikdonker in
onze berging.

'Oma,' zei ik en knipte het licht aan. Daar stond ze met
haar jas aan.

Ze keek aan me als een mol, niet meer gewend aan het
licht.

'Wat doe je hier?'

Oma wankelde naar me toe. 'Ik ging wat halen, iets.'

'Wat?'

'Het was iets kleins, ik zag het boven niet en toen dacht
ik...'

'Wat was het?'

'Ik weet het niet meer.'

'Waarom deed je het licht niet aan?'

'Ik weet het niet meer,' zei oma. 'Ik wil naar huis.'

23

Toen mijn moeder thuiskwam hadden we de aardappelen geschild en stond de thee klaar. Oma en ik zaten aan de keukentafel en keken of er niets aan de hand was.

'Wat is er?' vroeg mijn moeder meteen.

'Niks,' zeiden oma en ik in koor.

Mama keek naar het gasfornuis, snoof en rook niks bijzonders. 'Wat hebben jullie allemaal gedaan?'

'Gewoon,' zei ik.

'Lekker knus,' zei oma.

'Gezellig,' zei ik. 'En hoe was het bij jou?'

Ze trapte erin. Ze vertelde dat het erg druk was geweest. Er was eerst een storing in de centrale, dus kon ze uren niks doen, en daarna had de telefoon natuurlijk roodgloeiend gestaan Ze had steeds hetzelfde verhaal moeten afsteken en veel mensen hadden er geen begrip voor.

'En bij jou?'

'Morgen gaan we op schoolreis.'

'Ja, leuk.'

'Meester Job komt nog ouders te kort.'

'Tja, daar kan ik niks mee, ik moet morgen werken. Het gaat toch wel door?'

'Dat wel.'

'Het komt vast goed. Wat kan er nou helemaal gebeuren in zo'n pretpark? Daar is echt wel goed op de veiligheid gelet, hoor.'

'Vast.'

'Zeker weten! Zeg, je gaat je niet net als vorig jaar gedragen, hè?'

Vorig jaar had ik overgegeven toen ik de bus in stapte en later nog een keer over de bekleding. Het stonk vreselijk.

Mijn moeder had het niet door en stond vrolijk tussen de andere moeders te zwaaien – tot meester Job haar kwam halen om mijn kots op te ruimen.

'Je moet maar niet meegaan met uitzwaaien,' zei ik.

'Nou, dat komt dan goed uit,' zei mijn moeder, 'want mijn baas vroeg of ik morgen een keer wat eerder zou kunnen beginnen. Weet je echt zeker dat je alleen wilt gaan?'

Ik knikte.

Die avond vroeg mijn vader of we weer een keer rijst konden eten. Mijn moeder keek eerst naar mijn vader, toen naar oma en toen weer naar mijn vader.

'Tuurlijk schat,' zei ze breed lachend, 'dat hebben we sinds je moeder hier is inderdaad niet meer gegeten. Je hoort het, lieve schoonmoeder, morgen hoeven er geen aardappelen geschild te worden.'

'Maar Adriaan houdt van piepers,' zei oma.

'Ad houdt ook van rijst,' zei mama.

'Ik hou ook van jullie,' zei papa snel.

Daarna was het een tijdje stil. We aten allemaal onze aardappelen, bloemkool en tartaartje.

Ik slikte een hap weg. 'Morgen ga ik op schoolreis.'

Papa keek me aan. 'Leuk!' Hij bekeek mijn gezicht wat beter. 'Of niet?'

'Mmm,' zei ik.

'Ik heb morgen vroeg een belangrijke vergadering. Straks moet ik daar nog heel veel voor voorbereiden en morgenochtend ga ik vóór de file al rijden. Dus ik wil best met je ruilen. Dan doe jij wat ik moet doen en dan ga ik lekker op schoolreisje, dagje lekker relaxen.'

Het ging me alweer veel te veel over die schoolreis. Ik moest snel een ander onderwerp verzinnen, eentje waar ik niet zo zenuwachtig van werd.

Maar ik kon alleen maar denken aan mijn zoektocht naar oma van vanmiddag. Wat was ik blij toen ik haar hoorde en toen ik haar vond in onze berging. Als ik ooit een schat zou vinden dan zou ik niet blijer kunnen zijn, dat wist ik zeker.

Ik gaapte. Oma deed meteen mee.

'Als jullie vanavond nou eens vroeg naar bed gaan?' zei mama.

Het was geen vraag, ook al deed ze alsof.

'We kunnen in ieder geval vroeg in bed gaan liggen,' zei ik. Oma keek me aan en ik knipoogde naar haar.

Tot mijn verbazing knipoogde ze terug.

24

De deur was dicht, mijn ouders waren samen in hun slaapkamer. Ik wilde kloppen, maar aarzelde.

Papa was meteen na het eten zijn overhemd voor morgen gaan strijken en had samen met mama de juiste das en jasje erbij gezocht. Toen had mama ook zin gekregen om iets moois aan te doen morgen, en ze had een zwarte jurk uit de kast gehaald waar mooie hakken bij moesten, een sjaal en oorbellen. Ze kwam het in de kamer laten zien, een beetje verlegen. Oma keek niet op en ik knikte maar wat. Dus ze liep al snel weer terug.

Ik klopte toch op de deur en deed 'm precies open toen papa zijn hand op mama's rechterbil legde.

'Wat is er, liefje?' Mama had twee verschillende oorbellen in.

'Ik... eh...' zei ik, 'ik vind het zo spannend morgen.'

Meteen liep mijn moeder naar me toe en drukte me dicht tegen zich aan, tegen haar kriebelige zwarte jurk. 'Maak je geen zorgen,' zei ze, 'je zult zien dat je het best leuk vindt.'

Ik schudde wild mijn hoofd – misschien kwamen de tranen zo niet naar buiten.

'Nee,' zei ik en er rolden toch wat tranen over mijn wangen naar mijn kin.

'Jongen toch, liefje,' zei mama, 'er is toch wel iets waar je je op verheugt? Eén ding?'

Ik dacht diep na. Toen glimlachte ik.

'En?' vroeg ze.

'Patat eten,' zei ik, 'en ijs eten.'

'Zie je nou wel,' zei ze. 'Je moet proberen aan de leuke dingen te denken.'

Papa begon een heel raar liedje te zingen in het Engels. Ik begreep het wel: het was iets over dat je naar de zonnige kanten van het leven moest kijken, en er moest steeds heel veel bij gefloten worden.

Nog steeds stond ik behoorlijk dicht tegen mama aan. Mijn wang kriebelde vreselijk.

Ik probeerde weg te komen. Ze liet me met moeite gaan.

Zonder kloppen ging de deur weer open, en oma stond in de slaapkamer. 'Wat doen jullie hier allemaal? Ik zat helemaal alleen in de kamer!'

'Vroeger zat je altijd alleen,' zei mijn vader. We keken hem alle drie verschrikt aan.

'Sorry mam, dat was flauw om te zeggen. We komen er zo aan.'

'Jullie kunnen alvast tanden gaan poetsen,' zei mama met haar liefste stem, 'dan kom ik jullie zo welterusten wensen.'

Oma trok haar gebit uit haar mond en liet er een enorme streep tandpasta op vallen.

Daarna draaide ze de kraan open en hield haar gebit er onder. De tandpasta spoelde eraf.

'Opletten, oma,' zei ik. 'Nu moet je weer opnieuw beginnen.'

'Nee hoor,' zei oma, 'zo is het goed, het is toch een rotgebit. Het past niet.' Ze hield het nog even onder de kraan en stopte het toen terug in haar mond. Weer dat knarsende geluid, als een fiets die over een grindpad reed.

Ik poetste mijn tanden extra goed, zo goed dat mijn moeder haar hoofd om de hoek stak en vroeg of het nog lang ging duren.

'Nee,' zei ik, 'we zijn klaar.'

We liepen naar onze slaapkamer.

'Het zou fijn zijn als het vandaag wat eerder stil is,' zei mijn moeder. 'Jullie kunnen niet elke avond zo lang doorpraten.'

Oma en ik knikten ijverig.

'Het zou toch jammer zijn als we jullie uit elkaar moeten halen,' zei mijn moeder. Ze klonk als meester Job, die zei ook zulke dingen. Hij bedoelde dan helemaal niet dat het jammer was, maar dat we moesten oppassen, dat we de grens naderden.

'Weet je zeker, Valentijn, dat ik je morgen niet hoef uit te zwaaien?' vroeg mama. Ook zo'n vraag die geen echte vraag was. Ze kon niet, en als ze al kon dan had ze geen zin om weer mijn kots op te ruimen.

'Zeker,' zei ik.

'Papa en ik zijn toevallig allebei al vroeg weg,' zei ze, 'dus je gaat alleen naar school, maar dat kan je wel hè?'

'Tuurlijk.'

Ze ging op haar knieën zitten, er kraakte wat in haar benen. Ze boog zich voorover. Op het laatste moment draaide ik haar mijn wang toe. Het was een stevige kus.

'Heel veel plezier, liefje,' zei ze.

'Ja,' zei ik. Ik probeerde aan patat te denken.

25

'Zullen we erin gaan zitten?' fluisterde oma.

Ik stond op en ging haar voor. De flap van de opening liet ik een stukje openstaan, zodat het in de tipi iets lichter was dan de vorige nacht.

Ik snoof de nieuwe geur diep op en kruiste mijn benen.

We waren een tijdje stil. Uit de slaapkamer van papa en mama hoorde ik gelach komen. Gegiechel van mama en het lage startende-motorgeluid van papa.

'En?' vroeg oma.

'Mmm,' zei ik.

'Je moet je ogen dichtdoen,' zei ze.

Dat deed ik toen maar.

We waren behoorlijk lang stil en mijn hoofd werd langzaam leger. Oma haalde rustig adem. Ik volgde haar.

'En?'

'Nou...' zei ik. Ik had geen idee. Mijn hoofd was leeg en dat was lekker. Eindelijk.

'Wat moet ik nou met die droom doen?' vroeg oma. 'We gaan nu toch verder met onze droomclub?'

Ik hoopte dat er net als afgelopen nacht zomaar iets in me op zou komen. Misschien nog iets beters dan dat we net als indianen in een stam bij elkaar hoorden. Langzaam ademde ik uit en keek met mijn ogen dicht van links naar rechts.

'En,' vroeg oma, 'weet je het al?'

Ik deed mijn ogen open. 'Nee,' zei ik, 'ik ben gewoon zenuwachtig voor mijn schoolreis. Het lukt niet.'

'Laten we anders weer met mijn droom beginnen,' zei oma.

Dat klonk logisch. Soms was oma best slim.

'Dus we gaan net zoiets met dromen doen als de indianen?'

Oma knikte.

Op dat moment wist ik niet dat ik over vijf minuten het vreemdste ging doen dat ik ooit gedaan had in mijn hele leven.

We deden alle twee onze ogen dicht.

'Weet je je droom nog wel?'

'Tuurlijk,' zei oma, 'ik droom het elke nacht, al heel lang.'

'Hoe begint je droom?'

'De schoolbel gaat, heel lang en hard. Ik zit eerst nog in het lokaal op de eerste verdieping bij meester Reinders, dan sta ik opeens in de smalle straat achter school. Ik hoor Antje lachen. Als ik omkijk loopt ze vlak achter me met vier vriendinnen. Ze gaan steeds harder lopen. Ik ook.'

'Stop,' zei ik. We deden onze ogen tegelijk open.

'Je wilde mijn droom toch horen?'

'Ja, een stukje. Ik vind het nu al eng.'

'Ik ook.'

Ik dacht aan de indianen. Hoe dapper die waren. Die durfden alles, ze keken hun vijand gewoon van dichtbij in de ogen om hem te kunnen verslaan.

Oma rekende op me en ik wilde er ook voor haar zijn. We moesten iets verzinnen op die vreselijke nachtmerries. Ik moest iets verzinnen en snel. Het moest goed zijn en makkelijk om te doen. Ik voelde een vage pijn in mijn achterhoofd.

Het was moeilijk. Oma zat er niet voor niks al jaren mee. Ik keek haar aan: haar gezicht zat vol groeven, haar ogen zag ik niet, daarvoor was het te donker. Ik voelde iets, ik weet niet hoe je dat moet noemen, maar het was een warm gevoel en ik pakte haar hand en hield die in de mijne.

'Je bent een goeie jongen,' zei oma. 'Het geeft niet.'

We zaten daar samen en onze handen werden heel warm. Mijn hele arm werd warm en mijn buik werd warm en ook mijn benen. Het leek wel of ik kookte. Voorzichtig maakte ik onze handen los.

Als je wilt dat iets ophoudt, moet je je eruit losmaken, dacht ik. Mijn handen werden meteen minder warm.

'Ik weet iets,' zei ik. 'Het is misschien niks, maar...'

'Wat?'

'Als je wilt dat iets stopt, moet je het veranderen.' Ik wreef in mijn handen, ze waren nu koeler.

'Gummen,' zei oma meteen.

'Gummen?'

'Ja, we dromen mijn droom in potlood en gummen de meiden eruit. Net als jij mocht doen met de fouten in de spellingtoets. Gummen is goed. Gummen is geweldig. En in dromen kan toch alles?'

'Jawel,' zei ik onzeker. Ik vond het eerlijk gezegd nogal een vreemd voorstel, maar het was nu geen moment om op te geven. 'Zullen we dan maar beginnen?' Dan konden we in ons bed gaan liggen. Slapen, alles even vergeten. Tenminste, ik.

'We beginnen in de smalle straat achter school,' zei oma. Zij deed of het heel gewoon was. Dat maakte het wat minder raar.

We sloten onze ogen weer.

'Antje loopt achter me, ze lacht, een beetje naar, en dan zijn daar die vier andere meiden.'

'Hoe heten die?'

'Ria, Gretha, Dorien en Aaltje.'

'Zullen we die meiden dan eerst weggummen?' Er bleef een kriebellach in mijn keel steken.

'Ja,' zei oma.

Ik sloot mijn ogen en zag een soort strip voor me in grijs-wit.

'Lukt het?' vroeg ik aan oma. Gelukkig zag niemand ons. Stel je voor dat Hazel ons zag.

'Ria is al bijna weg,' zei oma en ze giechelde even. Gelukkig vond zij het ook een beetje raar.

'Zullen we dan nu samen Gretha doen? Dan tel ik tot

drie en dan vallen we haar aan met onze gummen. Een.'

Ik zag ons opeens zitten, alsof ik van een afstand naar ons keek. Twee mensen vlak bij elkaar in een speeltent. Een oude vrouw en een jongen. Samen bezig met iets geks, iets ongrijpbaars, maar wel heel serieus. Wat moest ik zeggen als er iemand de kamer binnenkwam? Wat deden we dan?

'Twee.'

Natuurlijk kon ik zeggen dat we nog heel even samen in de tipi gingen, omdat we er zo blij mee waren, maar dat we nu meteen weer ons bed in gingen. Waarschijnlijk zou zowel mijn vader als mijn moeder niet verder vragen.

'Drie.'

Ik stelde me voor dat ik Gretha uitgumde, samen met oma.

'En?' vroeg ik.

'Gelukt!' zei oma. 'Dit is leuk! Dit is goed, geweldig!'

'Nu Dorien?' vroeg ik.

'Zeker!'

Ik gumde Dorien uit.

'Gelukt!' zei oma.

'Nu alleen die vierde nog.'

'Aaltje,' zei oma. 'Die had van die lange vlechten.'

Daar waren we wat langer mee bezig, maar na een tijdje zei oma weer dat het was gelukt.

'Dan zijn we klaar hè?' zei ik en gaapte.

'Bijna,' zei oma. 'Nu moeten we Antje nog weggummen, dat rotkind.'

'Dat moet jij doen,' zei ik, 'alleen.'

'Waarom?'

'Gewoon.'

'Mag ik je hand wel vasthouden?' Meteen legde ze haar warme hand weer in de mijne, en ik durfde 'm niet weg te halen, wilde het ook eigenlijk niet, ook al kreeg ik het meteen weer ontzettend heet.

Het was lang stil. Ik deed mijn ogen dicht en dacht aan morgen.

Alleen opstaan, alleen naar de bus, alleen op schoolreis.

'Gelukt,' zei oma, 'ik heb Antje ook uitgegumd. Alleen ik ben er nog. In die smalle straat. En ik ga naar huis, gewoon rustig naar huis. Eindelijk.'

Vrijdag

26

Meteen toen ik wakker werd, wist ik drie dingen.

Een: we hadden de hele nacht doorgeslapen. Twee: het was vandaag de dag van de schoolreis.

En het derde ding dat ik wist, moest oma ook snel weten. Ik schudde haar zacht wakker.

'Oma,' zei ik, 'opstaan.'

Oma kroop helemaal in elkaar en trok het dekbed over haar hoofd. Ze wilde duidelijk nog doorslapen.

'We gaan op schoolreis,' zei ik.

Ze liet het dekbed iets zakken. 'Jij gaat op schoolreis,' zei ze.

'Ja, en jij gaat mee,' zei ik. 'Ze zoeken nog volwassenen, en dat ben je. En na gisteren, toen je in het donker in de box zat, laat ik je niet meer alleen thuis. Straks kan ik je weer overal gaan zoeken.' Ik keek op mijn horloge. 'Ga jij eerst de badkamer in of ik?'

'Dus ik ga mee?'

'Ja.'

'Je schaamt je niet voor mij?'

'Oma!'

Ze keek naar de tipi. Toen duwde ze het dekbed van zich af en wurmde zich de gang op. 'Ik ga wel eerst!'

We aten samen aan het aanrecht drie boterhammen met chocovlokken. Mijn vader en moeder waren al weg. Ik had ze niet gehoord. Misschien hadden ze heel zacht gedaan, maar meestal deden ze dat niet. Oma zette de waterkoker aan en ik maakte thee.

'Hoe zijn de kinderen in je klas?' vroeg oma.

Ik dacht aan Hazel en Willie. 'Heel aardig,' zei ik, 'geen Antjes.'

'Ik...' zei oma opeens en ze deed haar mond wijd open en dat was niet zo'n goede keus, want ze had allemaal stukjes gekauwd brood en chocola in haar mond, 'ik... ik heb vannacht niet over haar, over hen... ik heb gewoon geslapen!'

'Dat denk ik ook,' zei ik.

'Ik had geen nachtmerrie!'

'Dat denk ik ook.'

'Dus... het heeft geholpen!'

Ik had geen zin om weer hetzelfde te zeggen. Dus zei ik: 'Waarschijnlijk wel.'

'Ik kan het niet geloven!'

'Ik ook niet.' En zo was het precies. Het was ongelofelijk, maar waar.

In ieder geval vannacht had oma geen nachtmerrie gehad.

Oma deed haar hand voor haar mond, maakte een indianengeluid en begon aan een dansje. Al snel greep ze mij vast en we dansten samen door de keuken. We hadden een vast ritme en vaste geluiden. Het was prettig om te doen. Het voelde alsof we er dagen mee door konden gaan. Maar zoveel tijd hadden we niet.

Ik stopte. Oma botste tegen me aan. 'Ik kan het niet geloven! Ik heb vannacht gewoon geslapen!'

Ze pakte haar mok, nam een slok thee en verslikte zich. Ze begon heel erg te hoesten en ik klopte eerst op haar rug en toen het hoesten minder werd, aaide ik over haar rug.

Toen alles weer goed was, dronk ze voorzichtig haar thee op. De mijne gooide ik zo snel mogelijk achterover.

'Kijk,' zei oma. Ze wees op een enorme stapel brood, pakjes drinken en een zak snoep. Er lag een briefje bij. *Veel plezier op je schoolreisje!*

'Is dat genoeg voor twee?' vroeg ik.

'Voor vier.'

'We moeten gaan,' zei ik. Ik dacht aan kinderen met hun haar strak naar achteren, aan gillen.

'Ik heb er ontzettend veel zin in!' zei oma. 'Een uitstapje, dat is zo lang geleden. Ik zit altijd maar alleen thuis en zie nooit wat leuks.'

Zo kon je er ook over denken.

'Vind jij het nog steeds niet leuk?' vroeg oma.

'Nee,' zei ik, 'maar wel leuker dan toen ik alleen ging.'

Soms moet je iets hardop zeggen om te weten dat het waar is.

27

'Kijk eens aan, daar hebben we Valentijn!' zei meester Job enthousiast. 'En hij heeft iemand meegenomen.'

Oma stak haar hand uit en drukte die van de meester. 'Ik ga vandaag mee,' zei ze, 'er waren toch volwassenen te kort?'

'Dat is heel fijn,' zei meester Job, 'we zaten erg krap ja, maar nu niet meer! Ik zal zo even een nieuwe indeling maken, dan geef ik u de namen van de kinderen in uw groepje. Nu krijgt iedereen een fijne dag.' Hij keek naar mij. 'Toch?'

Ik knikte.

'Jij zit bij je oma in het groepje, en met wie zal ik je nog meer indelen? Met wie zou jij wel een dagje willen optrekken?'

Ik voelde dat ik een kleur kreeg en meester Job glimlachte. Hij is dus altijd erg wakker 's morgens.

Er stonden een paar ouders bij elkaar te praten en te wachten tot de grote gehuurde bus zou gaan vertrekken. Alle kinderen renden nog rond op het schoolplein. Straks moesten we een tijd stilzitten in de bus, dus niemand zei dat we rustiger moesten doen.

Ik liep met oma in de richting van de ouders, maar oma trok me mee naar het schoolplein. 'Ik wil je klaslokaal wel eens zien,' zei ze, 'en het tafeltje waar je zit.'

'Snel dan,' zei ik.

Ik liep voor haar uit door de gang en hield stil voor ons lokaal. Ze keek naar binnen. 'Heel anders dan vroeger,' mompelde ze. 'Zit je niet alleen?'

'Nee,' zei ik, 'we zitten in groepjes en die wisselen steeds.'

'Waar is het bord?'

Ik wees naar het digibord.

'Dat is toch geen bord?'

'Toch wel.'

'Het is niet groen of grijs, en ik zie ook geen krijtjes.'

Het duurde te lang om alles uit te leggen. Ik wees op mijn plek. 'Hier zit ik.'

'Mooie stoel.'

'We moeten gaan, oma.'

We liepen de klas uit. Oma was diep in gedachten, leek het.

'Ik moet nog even naar het toilet,' zei ze.

'Voor de kinderen is het daar,' zei ik en ik wees, 'maar de juffen en meesters hebben hun eigen wc en die is daar.'

'Waar zal ik gaan?' vroeg oma.

Er liep een kleuterjuf gehaast door de gang. Toen ze mij en oma zag zoeken vroeg ze wat er was, en ze begeleidde oma meteen naar het juffentoilet. 'U mag het licht straks aan laten hoor, want ik ga ook nog even.' zei ze voor ze doorliep.

Ik keek op mijn horloge en toen naar het schoolplein en de bus. Er waren steeds meer ouders en kinderen aangekomen. We moesten echt bijna vertrekken. Ik hoopte dat oma zich haastte.

Hoewel ik me er niet op verheugde, leek het me ook niet leuk meer om het uitje te missen. Ik hoorde er gewoon bij, en ik zou proberen er een zo fijn mogelijke dag van te maken. Met oma erbij was dat gemakkelijker.

Oma kwam de wc uit. 'Alles is heel anders, dan vroeger,' zei ze blij. 'Ze zeggen nu allemaal "u" tegen me. En iedereen vindt het heel gewoon dat ik op het juffentoilet ga. Ik ben een volwassene! Een "u", een echte "u"!'

Ik moest lachen. Het deed me aan een reclame denken. Maar oma deed niet mee met een reclame. Oma zei wat ze dacht, en ik moest erom lachen. Gewoon

vlak voor we de bus in stapten op weg naar dat enge pretpark.

28

Hazel zat naast me in de bus. Dat kwam zo: de meester
liep naar oma toe en gaf haar de lijst met namen. Ze las
ze keihard voor, en Hazel en Willie kwamen vanzelf bij
ons staan.

'Wij zijn een groepje vandaag,' zei oma stralend. 'We
gaan het gezellig maken.'

'Ge ge,' zei Hazel.

'Wat zeg je?' zei oma.

'Ge ge: Gezelllig Groepje.'

'Ja, ja,' zei oma, 'inderdaad. Dus jij bent...?' Ze keek
Willie aan.

'Willie.' Willie keek verlegen naar de grond.

'Ik ben oma,' zei oma, 'de oma van Valentijn, en ik ben
nogal vergeetachtig.'

'Ik ben nergens goed in,' zei Willie.

'Zullen wij naast elkaar gaan zitten in de bus?' vroeg
oma hem.

Willie knikte blij. Dus zat ik naast Hazel.

De chauffeur toeterde, we vertrokken. Alle ouders keken
naar de bus en zwaaiden. Wij zwaaiden terug. De chauffeur toeterde nog een keer lang en daarna gaf hij gas en
waren we echt weg.

'Wil je een snoepje?' Hazel hield een rolletje pepermunt
voor m'n neus.

Ik peuterde er eentje uit.

Ze stak er ook een in haar mond. Ik hoorde dat ze 'm meteen in stukken beet.

Meestal zoog ik er zo lang mogelijk op.

Ik keek naar buiten. Het was droog en nog redelijk koud. Mensen fietsten door de stad, de meeste keken chagrijnig.

'In ieder geval een beter begin dan vorig jaar,' zei Hazel.

'Wat?'

'Vorig jaar,' zei Hazel en ze deed een kokhalsbeweging na.

Het klopte: vorig jaar had ik om deze tijd al twee keer overgegeven. Maar dat zij dat nog wist! Lette ze op me?

Gelukkig zaten we naast elkaar en niet tegenover elkaar: ik kon gewoon naar buiten kijken als ik niet wist wat ik moest zeggen, en dat was niet raar. Dus keek ik naar de auto's. Sommige glansden en andere waren erg vies. De meeste auto's waren iets ertussenin.

'Waar denk je aan?'

Ik aarzelde. Mijn moeder vroeg dat ook wel eens aan mijn vader. Meestal reageerde hij erg kattig. Ik vertelde Hazel over de auto's. Ze boog zich over mij heen om naar buiten te kunnen kijken. Haar haren kriebelden tegen mijn gezicht. Ze roken lekker, naar kaneel.

'Grappig,' zei ze.

'Wat?'

'Dat je dat ziet.' Ze ging weer helemaal op haar eigen plaats zitten.

Ik zag dat meester Job naar de buschauffeur toe liep en hem iets gaf. Even later schalde er keiharde Nederlandstalige muziek door de bus en iedereen zong mee.

Tot nu toe viel de schoolreis best mee.

Toen het even stil was, vroeg oma snel of alles goed ging. We knikten.

'Hier ook,' zei oma. 'Ik heb in geen jaren zoveel lol gehad.'

'En ik ook niet,' zei Willie.

Ze hadden samen al twee zakken chips op die Willie bij zich had en hun monden waren helemaal oranje.

Daarna hadden ze de zak snoep van Willie opengemaakt, ook al zo'n enorm ding, en waren ze gaan kijken welke snoepjes erin zaten en welke ze het lekkerst vonden. Ze bleken dezelfde smaak te hebben.

Nu waren ze bezig om de lekkerste snoepjes eerst op te eten.

'Leuke oma,' zei Hazel.

'Ja,' zei ik. 'Ze woont tijdelijk bij ons.'

'Tijdelijk?'

'Ja, ze moet naar een tehuis, ze kan niet meer voor zichzelf zorgen.'

'Zo ziet ze er anders niet uit.'

Dat moest ik toegeven. Oma zag eruit als een lief vrolijk oud mens.

'Ze kan echt niet voor zichzelf zorgen,' zei ik. 'Ze vergeet alles, het gas uitdoen en dat soort dingen, en ze zat gister zomaar in onze berging opgesloten, ze wist niet meer waarom. Maar...'

Ik hield op met praten, maar dacht gewoon verder. Ik wilde niet dat oma daar ging wonen. Ze hadden een wachtlijst, want er wilden heel veel mensen wonen, maar oma niet. Waarom moest ze daar eigenlijk gaan wonen? Zelfs papa vond nu dat oma wel naar Huize 't Hooge Veld moest, ook al wilde hij het eerst niet.

Een beetje begreep ik het wel. Eigenlijk zou het voor oma het beste zijn als er altijd iemand bij haar was. Om haar eraan te herinneren dat ze zich moest aankleden en iets moest drinken, om haar gezelschap te houden en de dingen die ze vergat te helpen onthouden. Niemand in ons huis had daar de tijd voor. In Huize 't Hooge Veld wel. Daar waren vast mensen genoeg die tijd hadden om oma met alles te begeleiden.

'Ja?' Hazel hield me het rolletje pepermunt weer voor. Ik pakte er één. 'Wat denk je?'

'Niks.'

'Oké.'

De pepermuntjes in onze monden knapten tegelijk.

'Oké,' zei ik, 'ik zal het je vertellen.'

29

'Uitstappen!' riep de chauffeur.

Hij deed de deur open. Er ontstond geduw in het gangpad.

'Doorlopen!' riep meester Job.

De kinderen vielen de bus bijna uit. Razendsnel renden we allemaal buiten om de bus heen.

Toen wandelden we met ons groepje naar de ingang van het pretpark.

Oma telde ons.

Meester Job liet bij een speciale kassa een brief zien, en het hek zwaaide open en we stonden binnen.

Sommige kinderen begonnen meteen te rennen.

'Ho!' riep meester Job. 'Even wachten!'

Hij legde uit dat we elkaar om vijf uur hier weer zouden zien, dan gingen we met z'n allen patat eten en dan weer de bus in naar huis.

'Maar eerst gaan jullie genieten,' schreeuwde hij en verschillende groepjes begonnen het park in te rennen, op weg naar de snelste achtbaan.

Ons groepje bleef staan. We keken naar oma.

'Wat gaan we doen?' vroeg zij.

Ik keek om me heen. Overal waren door de hoge bomen heen achtbanen te zien en te horen. Het liefst wilde ik hier blijven staan tot vijf uur.

Hazel keek me aan. 'Zullen we naar de minst enge gaan en daar even kijken?'

Ik knikte. Het was lief dat ze dat zei.

Willie wist precies waar we moesten zijn. Hij had de plattegrond thuis heel goed bekeken.

Al snel stonden we voor een achtbaan.

Ik keek hoe de bakjes vertrokken, vol mensen met kleine kinderen. En ik zag hoe diezelfde kinderen na een tijdje lachend en gezond weer uit hun bakje stapten.

Na een tijdje keek ik een beetje naar boven en zag een houten baan lopen. Meteen keek ik weer naar beneden en even naar Hazel. Ze keek terug, maar ik wist niet wat haar blik betekende.

'Zullen we erin gaan?' vroeg Willie.

Ik deed als vanzelf een stap achteruit.

'Ik ben te oud voor zulke dingen,' zei oma.

'Ik te jong,' zei ik.

Hazel en Willie gingen in de rij staan. Die was niet lang. Even later stapten ze samen in een bakje. Ik keek hoe ze samen een stukje omhoog gingen en toen ik duizelig werd, keek ik naar de plek waar ze straks weer aan zouden komen. Dat was ook zo. Ze stapten uit en waren heel ontspannen.

'Het was leuk,' zei Hazel, 'helemaal niet eng.'

Als je niet bang was, dan kon je zoiets makkelijk zeggen.

'Zullen we het proberen,' vroeg oma, 'wij samen?'

Verschrikt keek ik haar aan.

'Wij kunnen samen zoveel dingen,' zei oma, 'dus waarom dit niet?'

Ik keek naar een leeg karretje, stelde me voor dat ik instapte, dat ik omhoog ging, dat ik snelheid maakte.

'Valentijn,' zei oma, 'laten we het gewoon doen.'

Ze liep naar voren en ging in de rij staan. De rij was kort. Maar ik hoopte dat het heel lang zou duren voor we aan de beurt waren. Er kwam een karretje aan en iemand wees op ons. Oma en ik stapten in. Mijn hart ging al over de kop voor we vertrokken waren.

Waarom deed ik dit?

Langzaam kwamen we in beweging, maar al snel gingen we sneller, omhoog en weer naar beneden. Mijn maag. Er kriebelde iets. Ik hield mijn adem in.

'Gillen,' zei oma, 'dat helpt.'

Ik gilde. En echt, het hielp. Opeens waren we alweer beneden. Met bibberige benen klom ik uit het karretje.

Willie en Hazel kwamen bij ons staan. 'En?' vroegen ze.

'Het was...' zei ik, 'het was leuk!'

'Wil je nog een keer?' vroeg Hazel. 'Met mij?'

Dat wilde ik, dolgraag.

30

'Zullen we nu naar de hogere gaan?' vroeg Willie na een tijdje.

Dat deden we. We liepen achter hem aan en kwamen bij een enorm hoge.

'Wie durft hierin?' vroeg Willie.

Niemand zei wat. Willie stelde zijn vraag nog een keer en stak zijn hand op. Hij wachtte, en toen er niets gebeurde, stapte hij zuchtend alleen de rij in.

Oma, Hazel en ik zochten een bankje.

Ze waren allemaal vol, maar een gezin met twee kleine kinderen wenkte ons.

'Wij gaan net,' zei de vrouw tegen oma. 'Als u heel even wacht, dan kunt u lekker zitten.'

Het had best wat voordelen om samen met oma op stap te zijn.

Toen we zaten vroeg oma of we ijs wilden. Ze had van meester Job geld voor ijs gekregen. Ze liet het ons zien.

'En Willie dan?' vroeg Hazel.

'Ik koop voor hem het grootste ijsje dat ze hebben,' zei oma, 'dat zal wel goed zijn.'

Dat leek me ook.

'Ik wil graag een waterijsje,' zei Hazel.

'En ik een roomijs,' zei ik.

Oma knikte. 'Ben zo terug,' zei ze.

Hazel en ik zaten weer naast elkaar. We keken naar alle kinderen voor ons. De meeste renden. Dus viel er ook een. Er werd gehuild.

Willie stond bijna vooraan in de rij en zwaaide, wij

zwaaiden terug. Hazel maakte een grapje dat ik niet verstond. Maar dat was niet erg. Op schoolreis gaan viel best mee.

Na een tijdje zitten en kijken kwam Willie weer naast ons zitten.

'Waar is oma?' vroeg hij.

'IJs halen,' zei ik, 'voor jou een hele grote! Hoe was het?'

'Gaaf,' zei Willie.

We zaten met z'n drieën op de bank. We keken, we wachtten. Ik keek steeds vaker in de richting waarin oma was opgelopen. Ze kwam niet.

Was er een lange rij bij de ijskraam?

'Ik heb best trek in ijs,' zei Willie, 'en ik wil zo nog een keer in die achtbaan.'

'Moeten we niet even kijken waar ze blijft?' vroeg Hazel.

Dat had ik ook net bedacht.

We stonden op en gingen als vanzelf rennen. In de verte was een ijskraam te zien. Toen we daar aankwamen, zagen we oma niet. Er stonden wel veel mensen te wachten. Lange, grote, dikke, dunne. Maar geen grijze oma, tenminste niet mijn grijze oma.

Onderweg hadden we oma ook niet gezien. We renden naar onze bank terug en daar was oma ook niet.

'We moeten haar snel vinden,' zei ik.

We renden naar rechts en keken uit naar vrouwen met grijze jurken. Maar nergens was oma.

Toen gingen we naar links, maar ook daar zagen we niemand met grijs haar en een grijze jurk. We overlegden even en liepen toen dieper het park in. Zo ver waren we nog niet geweest.

We kwamen bij een lange laan, die leeg was op twee voetballende jongens na.

'Hebben jullie mijn oma gezien? Ze is klein, heeft grijs haar en grijze ogen en...'

Ze schokschouderden.

'Als ze knap was geweest hadden we misschien wel gekeken,' zei er een.

'Maar we vallen niet op oma's,' zei de ander.

Ze voetbalden verder.

Wij draaiden ons om en liepen verder. Toen botsten we tegen meester Job aan.

'Hé, jongens,' zei hij enthousiast, 'vermaken jullie je een beetje?'

Hij keek naar mij. Ik probeerde te glimlachen. Om niet zorgelijk te kijken.

'Jij ook, Valentijn? Leuk?'

Ik knikte zo enthousiast als ik kon. 'Ik ben zelfs al in een achtbaan geweest!'

'Mooi,' zei meester Job. 'Ik ben blij dat je mijn advies zo serieus hebt genomen.' Het was niet zo zinnig om nu te zeggen dat ik dat helemaal niet had gedaan.

'Waar is jullie volwassene?' vroeg de meester toen. 'Je oma?'

'Ze is,' zei ik, 'ze is...'

'IJs halen,' zeiden Willie en Hazel tegelijk.

'O, lekker,' zei meester Job. 'Weet je wel zeker, Valentijn, dat alles goed is? Je ziet er zo...'

'Alles is goed,' zei ik, 'echt.' Mijn vingers had ik op mijn rug gekruist.

'Dan ga ik ook maar eens wat ijs kopen.'
Toen liep hij gelukkig door.

3 1

We renden het park door tot we niet verder konden. We
kwamen bij een groot groen hek en leunden ertegenaan.
'Ik had haar geen ijs moeten laten halen,' zei ik buiten
adem, 'dat was stom, ik had het kunnen weten. Ze raakt
in de war, ze vergeet wat ze doet, ze...'
'Dat helpt nou niks,' zei Hazel. Ze had natuurlijk gelijk.
Willie hijgde heel erg. 'Zal ik weer op ons bankje gaan
zitten? Misschien komt ze daar naartoe.'
'Ja, doe maar,' zei ik. 'Hazel en ik zoeken wel verder.'
Ik vond dat 'Hazel en ik' wel goed klinken. Kon ik iets
verzinnen waardoor ik het nog een keer hardop kon zeggen?
'Als Hazel en ik haar vinden, dan komen we naar je toe,
goed?'
Als je het vaker zei, dan klonk het nog beter. Maar ik
schaamde me dat ik hieraan dacht en niet aan oma. Niet
alleen maar aan oma.
We moesten verder met zoeken. En snel.
'Zullen we naar de ingang van het park gaan?' vroeg ik
aan Hazel.
'Ja,' zei ze. Ze begon te rennen en ik rende achter haar
aan. We namen een andere weg, zodat we bijna het hele
park hadden gezien tegen de tijd dat we bij de ingang kwamen.

We zagen mensen binnenkomen. Ze keken blij, ze liepen met grote stappen het pretpark in, ze wilden niet langer wachten, ze wilden gillen, racen, hun handen in de lucht gooien. Ze wilden snelheid, tempo.

Ik ging op een bankje zitten, vlakbij.

'Wat doe je?' riep Hazel. 'We moeten haar zoeken, niet gaan zitten!'

Maar ik zat al, en mijn benen voelden aan alsof er een hele achtbaan aan vastzat, zo zwaar. Ik wist zeker dat ik niet meer kon opstaan. Dus ik hoefde het ook niet te proberen.

Ik dacht aan oma en voelde dat het niet goed zat deze keer. Helemaal niet goed.

'Het is niet goed,' zei ik.

'Nee,' riep Hazel, 'want we moeten zoeken, niet zitten!'

'Er is iets mis,' zei ik. 'Ik hoop niet dat ons geluk nu op is. Dat de vorige keer dat ze weg was alles heeft opgemaakt.'

'Waar heb je het allemaal over?' Hazel trok aan m'n arm. 'Kom, sta op!'

Ik voelde gewoon dat ik dat niet kon. Oma, dacht ik, oma. De vorige keer dat ik haar niet kon vinden, was ze binnen. Er was niks ergs gebeurd. Ze had het alleen een beetje koud gekregen in de berging en ze vond het donker niet zo prettig. Maar nu moest ze het pretpark al uit zijn. Buiten. In de grote wereld. Helemaal alleen.

In het pretpark was ze vast niet meer, dan hadden we haar al wel gevonden. Zoveel hield ze niet van achtbanen, dat ze er alleen in zou zijn gegaan. En op de grond binnen de hekken was ze niet. Dat wist ik eigenlijk wel zeker.

Er waren hier niet veel vrouwen die op oma leken. En

die paar die wel op haar leken, waren haar niet. Niemand was precies zoals zij. Zo lief.

Dus nu was ze ergens buiten het park verdwaald. Misschien was ze al onder een vrachtauto gekomen. Niemand wist wie ze was. Ze had geen geld bij zich, alleen wat los geld voor de ijsjes. Niemand zou weten wie ze was. Alleen ik, ik wist het.

Ik wist precies wie ze was.

Mijn oma, mijn oma was de liefste van de hele wereld. En ik wilde nog heel vaak samen met haar dromen uitgummen, ook al vond ik het raar. Het werd misschien gewoner als we het vaker deden, en het hielp haar. Maar misschien was het niet eens meer nodig. Misschien droomde ze nooit meer naar.

Ik wilde nog heel vaak met haar in de tipi zitten. Grapjes maken. Spelletjes doen.

En ze moest nog een indianenpak voor ons alle twee naaien. Volgens mij kon ze zoiets wel, ze maakte die zachte bol ook snel en goed.

En als ze die pakken niet kon naaien, kon mijn moeder er misschien twee kopen. Dan kon oma er wel vast twee strepen op naaien. Die hadden we verdiend. We hadden slagen uitgedeeld en strepen behaald in de strijd. De strijd tegen oma's pestkoppen en tegen mijn achtbanen. We hadden de vijand in de ogen gekeken. We waren dichtbij genoeg gekomen om hem te raken. We waren goede indianenkrijgers geweest. Dapper. Alle twee.

We moesten nog samen sparen voor een blauw konijn, van glas. We moesten een nieuw gebit voor haar uitkiezen.

'Valentijn,' zei Hazel zacht, 'je huilt.'

Ik voelde aan mijn wangen. Ze waren inderdaad nat. Ik keek haar aan.

Ze raakte mijn wang aan en knikte, ze keek lief. Dat was het goede woord. Lief.

'We moeten haar weer gaan zoeken,' zei Hazel.

'Moeten we het aan meester Job vertellen?'

'Ik weet niet,' zei Hazel. 'Zullen we nog een rondje doen?'

We stonden op. Mijn benen trilden, maar ik stond.

'Zullen we daar gaan kijken?' Hazel wees een kant op waar het rustig was, maar wel in het pretpark. Ik volgde haar.

Misschien was oma niet dood. Had ze last van haar hart gekregen of zo. En daar konden de dokters wel wat aan doen. Die waren heel knap tegenwoordig.

Als ik haar ooit weer zag, zou ik haar nooit meer uit het oog verliezen. Altijd op haar passen. Maar ik wist ook meteen dat het niet kon. Ik moest naar school, ze kon niet altijd mee. Alleen thuisblijven was te gevaarlijk, ze kon de boel per ongeluk in de fik steken. Dat was gevaarlijk voor ons, maar ook voor haarzelf.

Opeens trok Hazel aan mijn arm, ze wees. 'Kijk!'

Toen zag ik een oud vrouwtje, grijs haar, grijze jurk.

Ze stond stil midden tussen al die krioelende mensen, met haar armen langs haar lijf. Kinderen holden langs. Niemand lette op haar, ze leek een soort standbeeld, maar ze was echt.

Ik liep op haar af. Het voelde of ik van de ene luchtbel in de andere stapte. Hazel zei iets. Hard en blij, maar het was alsof ik het langzaam hoorde, een beetje vervormd.

Ik liep stap voor stap naar de vrouw toe en zag wat ik hoopte te zien. Het was oma. Mijn eigen oma.

Ze was veilig, gezond, gevonden.

Ik wilde haar altijd bij me houden. Er schoten gedachten door me heen en daarin zag ik een aardappelschilmesje, de aangebrande aardappelen, ik rook de brandlucht. Ik zag oma starend op de stoel zitten in haar nachtpon, ik deed de deur open van de donkere berging en hoorde papa tegen mama zeggen: 'Ik ben het met je eens, ze moet echt zo snel mogelijk weg hier.'

En ik voelde dat ik niet wilde dat ze wegging bij ons thuis, bij mij. Maar ik wist ook dat ze niet te lang meer alleen zou kunnen blijven. Dat was niet veilig genoeg en ook niet gezellig voor haar.

Ik liep steeds dichter naar haar toe. En terwijl ik dichter bij haar kwam werd ik vanzelf vrolijker.

In mijn verbeelding zag ik ons, oma en mij, we dansten samen. We hingen slingers op. We gingen samen verstopspelletjes doen. Sitting Bull keek ons vriendelijk aan, elke dag opnieuw. Het was zij en ik, ik en zij, steeds weer, overal.

Ik lachte, en toen zag ze mij en lichtte haar gezicht op.

'Adriaan, eindelijk,' zei ze.

'Nee, ik ben het oma,' zei ik, 'Valentijn.'

'Valentijn,' herhaalde oma, 'natuurlijk jongen.'

'Wat was je hier aan het doen?' vroeg ik.

'Ik weet het niet,' zei oma.

32

We gingen met z'n allen ijs kopen en aten het rustig op een bankje op. Niemand liet oma nog alleen. De gezellige sfeer kwam gewoon weer terug. Toch was alles anders.

'Vinden jullie het goed als ik alle achtbanen uitprobeer?' vroeg Willie toen ons ijs op was.

Dat vonden we goed.

Soms wilde Hazel er wel samen met hem in. Maar meestal ging hij alleen. Telkens kwam hij breed glimlachend weer naar ons toe. Ik hield de hele tijd de hand van oma vast. Behalve toen ik nog in één achtbaan ging, samen met Hazel. Niet zo'n heel hoge, maar toch hoger en sneller dan de eerste waar ik in had gezeten. Willie bleef intussen bij oma. Het was best leuk.

En toen opeens zei Hazel dat het bijna vijf uur was.

We moesten stevig doorlopen om op tijd bij de ingang te zijn.

Daar hadden meer groepjes last van, want niet iedereen was er. We wachtten.

Oma vond in haar zak een briefje en vouwde het open. Ze liet het me zien. *Nergens goed in zijn?* stond erop.

'Ik weet waar jij goed in bent,' zei ze tegen Willie.

'O ja,' vroeg Willie, 'wat dan?'

'In achtbanen gaan,' zei oma, 'en eten.'

Ik hield mijn adem in, want was dit wel echt een compliment?

Willie knikte gelukkig, hij keek trots. 'Dat is dan toch iets.'

'Zeker,' zei oma.

'Zeker,' zei Hazel ook. Ze vergat te rijmen of een grapje te maken.

Meester Job kwam bij ons groepje staan. 'En oma, waren ze een beetje lief vandaag?'

'Ze waren geweldig,' zei oma, 'ze zijn geweldig. Ze pesten elkaar helemaal niet. Ze zijn van zichzelf lief, maar ook lief voor elkaar. En voor mij. Ik denk dat u goed werk doet.'

Meester Job keek trots. 'Ik doe mijn best,' zei hij. 'En Valentijn, wat zeg jij aan het eind van deze dag?'

Ik stak mijn duim omhoog.

'Goed zo,' zei de meester. Hij gaapte, hij was duidelijk moe aan het einde van deze dag.

Hij keek op zijn horloge en telde de leerlingen. 'Iedereen is er, we gaan patat eten!'

Er klonk een zacht gejoel.

In het restaurant was het warm en druk. Het wachten op de patat duurde ook vrij lang. Ons groepje zat stil bij elkaar. Ik had nooit verwacht dat ik naast Hazel zou kunnen zitten en niks zeggen en dat het gewoon was, dat het goed voelde.

Uiteindelijk werd er een blad vol warme dikke frieten met veel mayonaise voor onze neus gezet. We vielen erop aan.

'Heerlijk,' zei oma.

We knikten allemaal terwijl onze monden doorkauwden.

Hier had ik me thuis op verheugd, en het viel niet tegen. Sterker nog: het was nog leuker dan ik had gedacht.

Na een tijdje was het blad leeg. En ik was vol.

Meester Job ging staan, hij had behoorlijke wallen onder zijn ogen. Zou hij net als vorig jaar in de bus in slaap vallen en snurken?

'De bus komt er bijna aan, dan gaan we weer terug. Dan zit het er weer op voor dit jaar.'

Kort daarna ging hij weer staan en wenkte de groep. Iedereen stond op en volgde hem naar de bus.

Toen de chauffeur de groep zag, toeterde hij. Niemand reageerde uitgelaten, iedereen was moe. Glimlachend liet de chauffeur ons binnen.

'Wil je naast je oma zitten of naast mij?' vroeg Hazel vlak voor we instapten.

Ik keek naar oma. Naar Hazel. Naar Willie. Natuurlijk wilde ik naast oma zitten, maar Willie wilde ook naast haar zitten en ik eigenlijk best graag naast Hazel, zeker nu ik me niet meer zo opgelaten voelde bij haar.

'Naast jou,' zei ik. 'Als jij maar goed op mijn oma past,' zei ik tegen Willie.

Hij knikte ernstig.

Ik zou de hele weg terug naast Hazel zitten. Misschien gingen we praten, misschien niet. Als we stil waren dan zou ik vanzelf aan oma denken, aan alles wat ik nog samen met haar wilde doen. Misschien bleef ze nog best lang bij ons wonen, en dat was goed. Elke dag zou ik zo snel mogelijk naar huis rennen om bij haar te zijn. Maar als ze al gauw moest verhuizen dan was dat ook wel goed. Ik zou haar helpen met wennen, heel vaak bij haar op bezoek gaan, ik zou samen met haar door de lange gangen rennen en vragen of mama ook bij haar in de slaapkamer een muurschildering van Sitting Bull wilde laten maken.

Hazel hield een rolletje pepermunt voor m'n neus. 'Waar denk je aan?'

Ik glimlachte naar haar, wees naar het lieve grijze achterhoofd van mijn oma en stak drie pepermuntjes tegelijk in mijn mond.